W9-DEY-017

PICAROS Y PICARESCA

PERSILES - 73

MARCEL BATAILLON

PICAROS Y PICARESCA

LA PICARA JUSTINA

Versión castellana
de
Francisco Rodríguez Vadillo

taurus

Cubierta
de
Manuel Ruiz Angeles

Primera edición (revisada por el autor), 1969
Reimpresión, 1982

Príncipe de Vergara, 81, 1.º - Madrid-6

ISBN: 84-306-2037-0
Depósito Legal: M. 12.271-1982

PRINTED IN SPAIN

INDICE

A mi admirado amigo Américo Castro,
renovador de los problemas de la picaresca
y de la honra y de mucho más.

M. B.

PROLOGO

(Génesis de este libro)

LOS escritos que aquí ven la luz juntos por primera vez son de muy distinta índole.

Cinco de ellos son escuetos resúmenes de otros tantos cursos míos del Collège de France. Como tales figuraron en los respectivos volúmenes del *Annuaire* del Colegio. Por ser pocas las bibliotecas en que pueden consultarse, resultan poco conocidos de los hispanistas fuera de unas cuantas personas a las que pude ofrecer separatas. Se me quejan algunos colegas de que sean páginas inaccesibles.

Preguntan otros por qué no publico mis cursos *in extenso.* Los entendidos saben qué distancia —y qué suma de trabajo— media entre la redacción provisional de un tema investigado para la exposición oral y la elaboración del mismo en un libro presentable. Por eso me resigno a juntar esquemas de cursos, es decir, textos más bien alusivos, con estudios en que puntualicé temas de algunas lecciones. Conste que los resúmenes tenían como primera finalidad cumplir con una obligación colegial.

De los trabajos nacidos del primer curso resumido aquí, no viene ninguno incluido en este volumen, por tratarse de asuntos al margen de la literatura picaresca. Bastarán para remitir a ellos, en la reimpresión del resumen, unas notas al pie de las páginas.

Conozco el riesgo a que expongo mis pobres esquemas al darles una segunda y más amplia difusión. Será mía la culpa si alguien toma pie de una frase sin contexto para atribuirme opiniones algo distantes de las mías. Me consolaré si estas descarnadas autorreseñas, bien o mal entendidas, sirven de estímulo a uno o varios investigadores en el ancho campo de la picaresca.

Podrán ser incitantes las contradicciones que se advierten entre las ideas del primer curso, preparado en 1948, sobre los «pobres» en la literatura picaresca y en la realidad social española de los siglos de oro y las ideas del último (1962) sobre la honra y la materia picaresca. La síntesis de esta investigación más reciente, complementada por el estudio sobre los cristianos nuevos en el auge de la novela picaresca, permite darse cuenta de la creciente atención que he venido dedicando a la honra como tema obsesivo de la literatura española de tiempos de Felipe III y la tiranía de la limpieza de sangre como factor de esta obsesión. Es grata ocasión de declarar que si bien me llamó la atención este factor desde 1945, año en que redactaba mi trabajo sobre *La desdicha por la honra,* de Lope de Vega (publicado en 1947 en la *NRFH* y reimpreso en *Varia lección de clásicos españoles,* Madrid, Gredos, 1964), me ayudó mucho para aquilatarlo más y más la obra realizada por Américo Castro de veinte años a esta parte. Así contraje con mi viejo amigo una nueva deuda que reconozco —aunque no pago— con dedicarle esta colección de trabajos sueltos.

Por lo que se refiere a la picaresca, y en especial a Mateo Alemán, debo recalcar que mi creciente interés por la honra relacionada con motivos típicamente españoles me llevó a ver en los vituperios de Guzmanillo contra la honra algo más que la pura expresión del ascetismo o —como prefería decir en 1949— «cinismo cristiano». También insistiría menos, hoy por hoy, en apartar de las intenciones del *Guzmán* los propósitos de crítica y reforma social de su época. Cuando Edmond Cros publique [1] las dos epístolas inéditas de Mateo Alemán descubiertas por él (cf. *Bull. Hisp.*, 1965, LXVIII, 334), se verá que el Máximo a quien van dirigidas no es otro que el doctor Cristóbal Pérez Herrera, reformador de la mendicidad, cuyos *Discursos* de 1598 (cf. Palau, *Manual,* núm. 221.110)

---

[1] Ya pueden leerse, impresas como apéndice del libro de Edmond Cros, *Protée et le Gueux. Recherches sur les origines et la nature du récit picaresque dans «Guzmán de Alfarache»,* París, Didier, 1967.

mencionaba en mi primer curso (no en el resumen) como significativamente contemporáneos de la primera parte de *Guzmán de Alfarache*. Basten estas indicaciones para avisar al lector a que tome mis resúmenes de cursos como ecos de momentos sucesivos de una larga investigación, cuyos presupuestos iniciales quedan superados, no como cuerpo de doctrina.

La Pícara Justina ocupa en el presente volumen un lugar central y preponderante, no porque la considere como obra maestra injustamente postergada, sino porque me costó más desvelos que cualquier otra y me obligó a revisar mis ideas sobre materia picaresca.

Las muestras de estudios más o menos detenidos que consagré a *La Pícara,* a detalles mal entendidos de esta obra, a circunstancias de su publicación, a la reacción que provocó de parte de Cervantes, podrán cotejarse aquí con los correspondientes pasajes de los cursos resumidos. Así se verá más clara la relación entre afirmaciones algo someras de los resúmenes y los cimientos de la investigación que sigue en parte inédita. Espero que el lector se convenza de que *La Pícara* estaba muy necesitada de nuevo enfoque y que, restablecida en su lugar de obra cortesana de 1605, servirá a otros, como me sirvió a mí, para una mejor inteligencia del fenómeno llamado picaresca española. Sin presumir de resolver todos sus enigmas, abrigo la esperanza de reanudar la exégesis de este singular libro para ofrecer de él, un día, un comentario menos incompleto.

Con o sin la luz que derrama *La Pícara* sobre los pícaros Guzmán y Pablos, son tantos los problemas que nos plantean estas criaturas literarias que se prestan a distintos enfoques. Pudo escribir hace poco A. A. Parker *(Literature and the Delinquent, The Picaresque Novel in Spain and Europe, 1599-1753,* Edinburgh University Press, 1967, pág. VII) que su enfoque y el mío son complementarios. El delincuente ya es otra cosa que el pecador heredero del pecado original. Puede ser que la delincuencia, con sus resonancias sociales, sea el mejor denominador común de la picaresca española y de la europea. Merecería consideración el cómo y por qué son tan inherentes a la materia picaresca española todas las modalidades del arte de robar, menos el robo a mano armada.

No son materia picaresca los delitos de sangre. En otros términos, ningún pícaro literario es un bandido. El propio Cervantes, al sugerirnos que un Ginés de Pasamonte pudo escribir su autobiografía picaresca, no nos dice por qué delitos remó más de una vez en las galeras de España, y acaba por imponerle en su mundo novelesco una extraña metamorfosis, pues el ex galeote reincidente se aviene a las pacatas andanzas del «titerero», oficio que ejercitó el bisabuelo paterno de Justina. En cuanto a Roque Guinart, es bandolero honrado, no pícaro.

Es de esperar que, bien estudiados los pícaros españoles en sus múltiples aspectos de delincuentes y negadores de la honra, nos hagamos cargo cabalmente de la originalidad literaria de sus vidas. Es desconcertante la de *Guzmán,* de Mateo Alemán, ante cuya segunda parte se pasmaba el traductor francés Jean Chapelain al darse cuenta de que el héroe «est désormais un Protée à cent visages». Ya es empresa difícil saber «qué pasa en *El Buscón*», como sugería en mi reciente discurso sobre *Défense et illustration du sens littéral* (Presidential Address of the Modern Humanities Research Association, 1967, pág. 21). Más difícil aún es caracterizar el universo en que se mueve y se va definiendo Guzmán. Ya se ha vuelto para los hispanistas de nuestra época tarea ineludible el carear a Mateo Alemán con el autor del *Quijote.* De tal careo ha sacado Américo Castro algunas de las observaciones más sugestivas de su «Cervantes y el *Quijote* a nueva luz» (*Cervantes y los casticismos españoles,* Madrid-Barcelona, Alfaguara, 1966, *passim;* en particular págs. 42-75). Por no recordar más que un aspecto de la pesada frondosidad retórica de *Guzmán* escrutada por Castro, aún requieren examen sistemático los apólogos de M. Alemán acerca de la creación del mundo por «Júpiter» y las reacciones de los animales y del hombre ante el don de la vida que recibieron (I, I, 7, «Contento y Descontento»; II, I, 3, «El asno, el perro, el mono y el hombre»). No creo que el don del libre albedrío fuese, por Mateo Alemán ni por nadie, achacado a Dios como un error. Era la base de la antropología. En cambio, rezuman los apólogos del *Guzmán* ironía ante otra faceta de la misma antropología tradicional: la creencia de que los animales y todos los demás seres hayan sido creados para servir al hombre. Es curioso advertir que el ya aludido Chapelain, en su traducción omitió el escarceo asnal con su «rociada» que Castro recalca, «la primera salva que se hizo al mundo dejándolo inmundo» (II, I, 3). ¿Sería mera intolerancia para el extraño gusto de aquellas fábulas de animales cuya extrañeza exageró el travieso autor de *La Pícara Justina?* Proteica de veras es la materia del *Guzmán.*

Insisto en ello para señalar la más grave laguna de las páginas que siguen.

París, junio de 1968.

I

HACIA LOS PICAROS COMO REALIDAD SOCIAL

condena cuando se describe y se juzga a sí mismo, pero no sin exaltar, al mismo tiempo, la función del mendigo (verdadero o supuesto, poco importa) que consiste en inducirnos a la limosna, obra redentora por excelencia. Doctrina ésta, una vez más, en todo conforme con la tradición del cristianismo medieval. Los que en el siglo XVI consideran al mendigo como un indeseable son una minoría modernista. Procuramos hacernos cargo, en toda su cambiante diversidad, del esfuerzo de los reformadores españoles, esfuerzo del cual participaron poquísimo los autores de novelas picarescas. Luis Vives, español ciudadano de Brujas, aparece como el portavoz de una austera burguesía mercantil animada por un ideal de prosperidad que se basa en el trabajo. En el mismo momento en que aparece el *De subventione pauperum,* un Geldenhouwer visita Estrasburgo y se asombra ante una ciudad que reforma sus costumbres, se impone la beneficencia como un deber y extirpa la mendicidad. Vives sueña con organizar la recuperación por el trabajo de los mendigos, incluso impedidos, y con hacer desaparecer, *ipso facto,* de las iglesias a aquellas hordas que, con su olor y presencia, le producen náuseas. Su idea es crear depósitos de mendigos que, al mismo tiempo, serían oficinas de colocación. Sin llegar a imaginar una nueva manera de recaudar fondos, se contentaría con poner bajo administración municipal los recursos de aquellas innumerables fundaciones de carácter piadoso, en las que reina el parasitismo. No nos asombremos demasiado si su *De subventione* aparece, por ello, en seguida, a los ojos de algunos, como «luterano» y si, treinta años después, un fray Lorenzo de Villavicencio critica el libro y lo tacha de peligroso intento para secularizar la beneficencia [2].

Al menos, a partir de 1530, y gracias a los debates que origina el reglamento de caridad de Ypres, la Sorbona se ve obligada a admitir como lícita la supresión de la mendicidad (excluidos los miembros de las órdenes mendicantes) al quedar así asegurada la supervivencia de los mendigos «legítimos». El poder central, en España, se siente con autoridad para

---

[2] Véase ya M. BATAILLON, *J. L. Vives réformateur de la bienfaisance,* «Bibliothèque d'Humanisme et Renaissance», 1952, t. XIV, *Mélanges A. Renaudet,* págs. 141-158.

pedir a las ciudades que se esfuercen y se hagan cargo, cada una, de *sus* pobres, con lo que se puede perseguir, eficazmente, a los vagabundos. De aquí las ordenanzas que se promulgan hacia 1545 en Zamora, Salamanca y Valladolid, que pretenden asistir a *sus* pobres legítimos, a domicilio o en los hospitales, por medio de suscripciones de carácter permanente. Estas tentativas locales, condenadas, pronto, al fracaso, suscitaron, al menos, el memorable diálogo entre el dominico fray Domingo de Soto, defensor de la mendicidad tradicional y de los derechos del mendigo, y el benedictino fray Juan de Medina, inspirador de la reforma y abogado de lo que el siglo XVIII denominará «caridad discreta».

Medina es, realmente, un «modernista» por su sentido de la evolución de la Iglesia, en la que surgen innovaciones (como lo fueron ya, en su momento, los frailes mendicantes), que son sólo «intérpretes de añejas verdades». Para él es posible conciliar, en una situación social dada, el viejo precepto *(Deut,* XV, 4): *et omnino indigens et mendicus non erit inter vos,* con aquella afirmación de Cristo de que «siempre habrá pobres entre vosotros». Para él ha llegado el momento en que los ejércitos, el superior desarrollo de los negocios, las Indias, deberían bastar para suprimir al sin trabajo. Y si el mendigo desaparece de las calles podrá establecerse un nuevo cultivo de los sentimientos caritativos sobre una base menos imperfecta que sobre las lamentaciones de los mendigos y en favor de miserias más angustiosas que sus muy sospechosas calamidades.

La primera predicación del beato Juan de Avila, la que le valió persecuciones inquisitoriales, se había caracterizado por una vigorosa ofensiva contra los ricos carentes de caridad. Después, mientras que humanistas cristianos como Venegas denuncian a la vez la desvergüenza de la canalla mendicante y la escandalosa falta de armonía —miseria y plétora— entre los miembros del cuerpo místico, un ilusionado de la caridad se lanza, hacia 1540, a la acción directa en favor de los pobres. Un buhonero portugués, convertido por un sermón de Juan de Avila, aparece como un loco por las calles de Granada y en el hospital de los locos aprende el servicio a los pobres.

La primera iniciativa de este San Juan de Dios consiste

en un rudimentario asilo para desheredados a los que sustenta por medio de una colecta de acento nuevo: a la caída de la tarde los que vuelven a sus casas le oyen como pasa gritando:

«¿Quién hace bien para sí mismo?»

Más que seguir el desarrollo de la congregación y su transformación en Orden especializada en atender a los enfermos, nos ha interesado el estudiar sus azarosos comienzos, no exentos de elementos turbios. Los limosneros, los constructores de hospitales de la Congregación granadina, muerto ya el Santo, no suscitaron una pura admiración. No se ve que el Beato Juan de Avila los proponga como ejemplo, en sus Memoriales acerca de la reforma de la Iglesia, a pesar de que en ellos se aborda la cuestión de los hospitales. El *Viaje de Turquía,* obra maestra antes atribuida a Cristóbal de Villalón y hoy al médico y humanista Laguna, parece exigir un nuevo examen de su Primera parte que pone en primer plano este mismo asunto. Ya no hay duda posible de que su «Casa de Juan de Voto a Dios» no es más que una transposición satírica de la naciente congregación de San Juan de Dios [3].

La crítica de los hospitales en general, y de los «hospitales de Granada» en particular, es una de las bases de algunos proyectos, totalmente seculares, de creación de hospicios para pobres concebidos de una manera nueva. Aquellas tentativas en las que ciertos historiadores atropellados vieron la tardía realización de las ideas que Vives maduró en Brujas surgieron de la realidad española de la época de Felipe II. *El Tratado de remedio de pobres* (1579), del canónigo de Elne Miguel Giginta resume la fe de un hombre que ha hecho conmoverse a Madrid, Toledo, Lisboa, Barcelona y las Cortes de Castilla y a quien había conmovido, a su vez, el espectáculo de las gentes miserables que se morían a la puerta de los hospitales después de un período de hambre. Trata por todos los medios de que las «Casas de Misericordia» que él se esfuerza en crear, y en esto le ayudan también todos los hombres ilustrados que por ellas se interesan, no caigan en las manos de los «Granatenses homines» .

[3] Cf. M. BATAILLON, «Nouvelles recherches sur le *Viaje de Turquía*», *Romance Philology,* t. v. (1951-52), págs. 77-97, y *Le Docteur Laguna auteur du Voyage en Turquie,* París, Librairie des Editions Espagnoles, 1958, páginas 11-41.

Estas casas son asilos puramente seculares abiertos de par en par y además, en parte, talleres para obreros sin trabajo y escuelas, pero ante todo son el hogar, el colegio y la Iglesia de los verdaderos mendigos.

Estos, hucha en mano, aparecían en todas partes y llegaron a ser la obsesión de las gentes a las que piden incansablemente para sostener su propia casa.

Soto nunca habría podido reprochar a una organización como ésta el hacer que desaparecieran los mendigos. En estos años, en que los hospitales empiezan a vivir en parte de las recaudaciones de los teatros permanentes, cuyo monopolio consiguen, Giginta sueña con añadir a sus hospicios unos museos de pago, que serían distracciones mucho más saludables que las vituperables comedias.

Estos planes del canónigo rosellonés (y la propia arquitectura de sus hospicios) serán luego continuados y asimilados, en su parte esencial, hacia 1594, por el doctor Cristóbal Pérez de Herrera, quien, por primera vez, siente la ambición de extender a las cincuenta aglomeraciones urbanas principales de los reinos de Castilla el sistema de hospitalización de los pobres legítimos para hacer posible, en breve, una recogida general e inexorable de todos los vagabundos.

Como protomédico de las galeras de Su Majestad, se ha ido acostumbrando a ver en todo mendigo dudoso un criminal en potencia. A esto se añade que, como celoso servidor del Estado, sueña con una vasta transmutación de tanto plomo vil en oro puro. No ve inconveniente en dejar que mendiguen (y cada uno ha de hacerlo por su cuenta para así obtener un mejor rendimiento) los pobres «estampillados» que se albergan en su hospicio; y llega a calcular el número de brazos que la movilización de todos los vagabundos proporcionaría a la Marina española, que tanto los necesita.

Y sobre todo, entre sus innumerables proyectos, concibe un plan grandioso para la educación de los niños abandonados y ve ya al joven «Seminario de Santa Isabel» convertirse en una gran escuela profesional modelo, gracias a las tiendas, infinitamente variadas, que él le añade y en las que múltiples artesanos, reclutados, si preciso fuera, en el extranjero, habían de formar legiones de aprendices. Llega a imaginar *seminarios* de nivel más elevado en los que se estudiarían más matemáticas que latín y de los que saldrán, no ya clérigos, sino ingenieros y artilleros para la Marina. En resumen: el *Amparo de los legítimos pobres y reducción de vagabundos* es, para Pérez de Herrera, el punto de partida de una gran reforma social, que él ha de juzgar aún más indispensable después de que la expulsión de los moriscos (1609), medida de la que fue Herrera ferviente partidario, dejó a España privada de una de sus poblaciones más laboriosas.

Herrera se sitúa entre los componentes de esa pléyade, tan poco estudiada, de los *arbitristas* que rodean la cabecera de la enferma España de Felipe III y cuyos proyectos, ineficaces a lo largo de todos los reinados de la decadencia, volverán a aparecer, con más probabilidades de éxito, a mediados del siglo XVIII. Un Pedro de Guzmán, apologista de los *Beneficios del trabajo honrado,* aplaude, en vano, los planes del doctor Pérez de Herrera. Este jesuita, admirador, como Giginta, de los hormigueros humanos que constituyen la inmensa China, enemigo jurado de toros y comedias, es, en ciertos aspectos, un precursor de Jovellanos. La época de la Reforma católica engendra sueños que más tarde vivirán las *Sociedades económicas de Amigos del País.*

II

LA PICARA JUSTINA

2

REDESCUBRIMIENTO DE UNA OBRA LITERARIA

A) Curso de 1958

Este Curso fue consagrado a una primera serie de estudios sobre *La Pícara Justina* (1605). Primeramente quedó demostrado el escaso fundamento de la atribución del libro al padre dominico leonés fray Andrés Pérez, a pesar de la autoridad, casi universal, que le concedió el apoyo de Mayans (1735). A este respecto, Foulché-Delbosc había ya hecho uso de la crítica pura y simple contra el hipercriticismo que negaba, sin fundamento, la paternidad del médico Francisco López de Ubeda, «natural y vecino de Toledo». La especial atención que el autor presta a la ciudad de León, en su novela, se explica, mejor que por el leonesismo del autor, por un viaje muy reciente (1601) de la Corte de España a la antigua capital leonesa. Y es que se trata de un libro «cortesano» y actualísimo, y no de un libro provinciano y arcaizante.

Está dedicado a don Rodrigo Calderón, uno de los personajes más poderosos de la Corte de Felipe III, cuyo escudo de armas, aún mal consagrado, adorna la portada de la edición príncipe de Medina del Campo. Este escudo, y la dedicatoria y prólogos de la edición, rigurosamente contemporánea de la primera parte de *Don Quijote,* resultan ricos en enseñanzas, aún no advertidas, que pueden aclarar la enemistad reinante entre López de Ubeda y Cervantes. Es sorprendente que, a pesar del virulento ataque del *Viaje del Parnaso* contra «el autor de *La Pícara Justina*», nunca se haya buscado en este libro escandaloso la clave de las enigmáticas décimas de

Urganda la Desconocida, la más célebre de las poesías que encabezan el *Don Quijote*. Una de nuestras lecciones, ofrecida a Dámaso Alonso, en su homenaje, está dedicada a este asunto *. Pero además *La Pícara Justina* toda entera debe ser nuevamente interpretada en función de la corte literaria de Valladolid de los años 1601 a 1605, en la que el libro tomó forma. En particular los capítulos de la «fisga» de Perlícaro y de la «contrafisga» de la heroína, que, recientemente, un crítico quiso explicar como llenos de alusiones a tenebrosas herejías, se aclaran, casi totalmente, si se colocan de nuevo en el ambiente de una capital en la que la burla disimulada *(fisga, matraca)* eran moneda corriente. El «matraquista semiastrólogo» que López de Ubeda enfrenta con Justina nos recuerda al «Licenciado Francisco Gómez de Zeballos», pintado, en 1605, con mayor indulgencia, por la *Fastiginia* de Pinheiro de Veiga, como notorio burlador y pseudo astrólogo. Se trata, con seguridad casi plena, de una caricatura del Licenciado Francisco Gómez de Quevedo, estudiante cojo y barbirojo. El joven Quevedo escandalizaba en aquel entonces la ciudad de Valladolid con su vida y su poesía rufianescas al mismo tiempo que deslumbraba de lejos a Justo-Lipsio con sus eruditas epístolas latinas.

También acometimos la crítica de los capítulos de la genealogía de Justina que poseen una importancia capital, dadas las burlonas alusiones que hace la heroína a lo largo de todas sus Memorias, a sus orígenes judíos. La obsesión de la limpieza de sangre que reina alrededor del difícil ennoblecimiento de don Rodrigo Calderón es uno de los temas capitales de López de Ubeda, esté ello o no en relación con la situación personal del autor (cuya «impureza» de sangre es muy probable). Con este nuevo enfoque recobran todo su valor algunas alusiones que fueron trasparentes para un público al que era familiar el tormento de aquellas familias que tenían que disimular la existencia de antepasados judaizantes o renegados entre los suyos. El tatarabuelo «tropelista» de Justina, que tan extrañamente murió tostado por el ardiente «Sol de Guadalupe», como un higo en la higuera, evoca el recuerdo

---

* Como verá el lector, se publica de nuevo aquí, con permiso de Editorial Gredos, a cuyo libro *Varia lección de clásicos españoles* pertenece.

del más célebre de los autos de fe que siguieron al establecimiento de la Inquisición (Guadalupe, 1485). En el mismo orden de ideas tratamos también de colocar en su verdadero ambiente los capítulo en los que la Pícara vive en simbiosis con una vieja morisca en «Rioseco». Existe aquí una ambigüedad voluntaria entre Medina de Rioseco, ciudad de los Almirantes de Castilla, y Madrid, cuyo río Manzanares tantas burlas ha tenido que soportar por su escaso caudal. La Iglesia de San Andrés, bruscamente mencionada en el relato, debía evocar para los lectores de 1605 la «morería» madrileña, aquel barrio que apestaba a aceite, lo cual ponía bien de manifiesto la repugnancia de los moriscos por la grasa de cerdo. Con lo cual resulta bastante claro que hay que revisar todo lo que se ha escrito acerca del estilo de *La Pícara Justina,* ya sea acerca de su «realismo» o de su «manierismo» y que hay ya que calar, para ello, un audaz sistema de dobles sentidos a lo largo de toda la obra.

B) Curso de 1959

En una segunda serie de estudios acerca de *La Pícara Justina* comprobamos que el libro fue editado, en 1605, sólo para divertir a un público cortesano, disfrazando, para ello, la actualidad y no (como generalmente se cree) para remozar una trasnochada novela satírica de costumbres provincianas, aprovechando para ello la fama que tenía entonces el *Guzmán de Alfarache.*

El enigma de las tres paginaciones sucesivas de *La Pícara Justina* y de sus mal ajustadas signaturas se aclara con examinar algo metódicamente las diferencias gráficas existentes entre la segunda sección y las otras dos (justificación y densidad de páginas, iniciales historiadas, cabeceras, uso de la bastardilla en las notas marginales, empleo de los acentos). Resulta evidente que la impresión del libro fue llevada a cabo simultáneamente en dos imprentas que no disponían de iguales materiales y por dos tipógrafos que no trabajaban del mismo modo. Esta tan anormal forma de repartir el trabajo, sobre todo para editar un pequeño libro, en octavo, de 470 páginas, se explica sólo por el apresuramiento de la publicación (confirmado por las anomalías de algunas piezas preliminares). Esta prisa puede deberse o a la urgencia de hacer propaganda de don Rodrigo Calderón, por medio de su escudo de armas, o al deseo de adelantarse a la aparición del *Quijote,* que ya estaba en prensa (edición ésta que, muy bien, pudo haber sido precedida por otra, hoy perdida, como, en 1948, sostuvo Jaime Oliver Asín) o a alguna otra razón, que desconocemos.

La topografía de la novela, la localización humorística de la heroína en Mansilla de las Mulas, las apreciaciones de la «pícara romera» acerca de la ciudad de León y de sus monumentos se explican mucho mejor que por la naturaleza leonesa del autor (la atribución a fray Andrés Pérez repetimos que no tiene fundamento alguno), si pensamos en la *jornada-romería* que Felipe III y su Corte realizaron, de Valladolid a León, en febrero de 1602. Hicieron, primero, una parada en los estados del Duque de Lerma, en Ampudia, y luego otra en el Monasterio de los Dominicos de Trianos, para dejar tiempo a que se zanjara el conflicto que había obligado a lanzar el entredicho sobre los canónigos de la Catedral y para permitir al Rey que pudiera tomar solemne posesión de su canongía. Los pocos testigos que, hasta ahora, conocemos de aquel viaje (Cabrera de Córdoba, que lo siguió de lejos, y el canónigo leonés don Pedro de Quevedo, citado por Risco) ayudan a descubrir en el itinerario de la «*pícara romera*» alusiones al viaje de la Corte. El convento a que tanto se alude, sin nombrarlo, no es Santo Domingo, como creía Puyol, sino San Francisco, donde el Rey y una parte de su séquito recibieron hospitalidad. Sólo a la luz de esta identificación recobran su sentido diversos equívocos de la narradora o de «sus compañeras», sobre todo en lo de la «puerta estrecha» (sólo unos pocos elegidos se habían alojado junto al Rey) y en lo de un viernes en el que «se ayuna» (el Rey llega a San Francisco precisamente el viernes 1 de febrero), así como otras alusiones desconcertantes al entredicho, y a unas bulas de coadjutoría, sólo se explican en el contexto eclesiástico del viaje real.

La actualidad de todo lo referente al convento de San Marcos y a los «freyles» de la Orden de Santiago reside en el hecho de que cuando tuvo lugar el viaje real, éstos se preparaban a volver a la casa de su Orden en León, después de una larga temporada de residir en Mérida. Por otra parte, si el autor toma como pretexto y como marco de la «romería» de Justina las fiestas del 15 de agosto, en las que la procesión de las «cantaderas» conmemora la abolición del tributo de las cien doncellas a los musulmanes, todo es para él muy sencillo de hacer gracias a una vívida descripción de aquella fiesta que puede leerse, en 1596, en la *Historia de las Grandezas de la Iglesia,* de Vasco de Lobera. Al interferirse mutuamente esta documentación erudita con recuerdos invernales del autor, se debe el que López de Ubeda dé frecuentes saltos de la canícula a los hielos.

Así también, de manera burlesca, el autor mezcla en el coro a los canónigos revestidos de sobrepelliz, con las «cantaderas» como una reminiscencia de la recepción que tributaron al soberano en el mismo coro los canónigos. Desde el momento en que se pueden comparar las insolentes fantasías de la Pícara con los datos vividos o leídos sobre los cuales trabajó el autor, cobran todo su relieve algunas bromas que numerosas generaciones de lectores habían dejado de percibir y, en particular, aquella extraña amenaza de «mandar a Egipto» a los leoneses y a su ofrenda. Esta, con sus panes ácimos (los *cotinos* que menciona Lobera) es digna de los hebreos. La adición a esta ofrenda de un «tributo de pescado, ajo y puerros» es prolongación de la broma bíblica, bastándole al autor completar la reminiscencia del *Exodo,* XXIX, 1, con la de los *Números,* XI, 4-5. La misma clase de humorismo reaparece en el encuentro de Justina con un «soldadito leonés» en la Huerta del Rey: allí la heroína, sin decirlo, identifica a su propia burra con la de Balaam *(Números,* XXII) e insinúa que si el animal se niega, misteriosamente, a avanzar hacia el soldado, no es porque, también ella, como el emisario de Moab, vaya a maldecir al pueblo elegido. «No iba a maldecir a *maldito aquel»,* dice Justina, y el autor da a estas dos palabras el valor de «ninguno de *ex illis»* (eufemismo que sirve para designar a la raza aborrecida, por ejemplo, en el *Retablo de las maravillas).* Este arte tan desconcertante supone un conocimiento del Antiguo Testamento que entonces estaba más difundido que hoy en España, incluso fuera de las familias de origen judío. Pero implica asimismo una cierta connivencia con una minoría de lectores capaces de captar alusiones y reminiscencias. A esta minoría pertenecía la camarilla de cortesanos a los que obsesionaban los mil obstáculos puestos en su camino hacia los honores nobiliarios por la tiranía de la *limpieza de sangre,* y no olvidemos el caso de don Rodrigo Calderón.

Estas preocupaciones son las únicas que permiten dar su verdadero sentido al «número» *De los trajes de montañeses y coritos,* cuya introducción versificada menciona a *Don Quixo* entre los héroes de novelas ya famosos, constituyendo el más poderoso de los argumentos en favor de una edición del *Quijote* que se remontase a 1604. El ingenio de un López de Ubeda, médico doméstico de los grandes, que tan antipático le era a Cervantes, lo entronca con la tradición de los bufones palaciegos. Su sentido del humor es el mismo de don Francesillo de Zúñiga. Ya éste, cristiano nuevo, lleno de malicia como Justina, había escrito, irónicamente, por antífrasis, refiriéndose a dos de sus semejantes que se trataban uno a otro de judíos: «se llamaban asturianos». La ironía multiforme de López de Ubeda (toledano originario de la Andalucía, donde imperaba también la mezcla de sangres), dirigida contra *leoneses, montañeses* y *asturianos* es la de un hombre que se ríe de su propia *impureza* en las mismas barbas de una minoría seudo selecta que reivindica el monopolio de la *pureza* para monopolizar honores y prebendas. En el encuentro y el diálogo de Justina, en el camino de vuelta de León a Mansilla, con algunos segadores descalzos de pie y pierna, pero extrañamente sobrecargados con mucho paño y sombreros, se ha podido ver, hasta ahora, un trozo de realismo archipicaresco y sazonado con bufonadas gratuitas. Por nuestra parte, hemos de confesar que participamos también de este error hasta que, una vez identificados los envoltorios de paño con los *hábitos* o insignias de las Ordenes Militares que el Rey prodigaba a las familias cuyas pruebas de nobleza habían salido bien, y los sombreros con los títulos nobiliarios que iban acompañados por el privilegio de estar «cubiertos» ante el Rey, quedó claro que el realismo descriptivo de tonalidad rústica del trozo no es más que pretexto o disfraz de muy distinta realidad. Se comprende ahora, también, el deseo, a primera vista fuera de lugar, que formula Justina de dedicar a los segadores tocados con sombreros asturianos, una serie de tapices «tan costosa como la de [la toma de] Túnez, tan graciosa como la de los «Disparates» [de Jerónimo el Bosco] y tan fresca como la del Apocalisis», comparable, en suma, a las más asombrosas series de tapices de la colección real que se utilizaban como adorno de fondo en todas las solemnidades dinásticas. Este sentido, tan poco rústico que damos a los extraños sombreros se confirma en esta salida de la madre de Justina respecto a las trampas frecuentes en el contenido de los pasteles de entonces: «Las empanadoras somos de la calidad de los reyes, que en haciendo cubrir una cosa la damos título de grande». El realismo de López de Ubeda está tan lleno de alegoría como el del Bosco y el de Breughel.

También dedicamos, en nuestro estudio, una particular atención a lo referente al tema del mesón y al atroz «número» de la muerte de los mesoneros, sin que creamos, con ello, haber agotado el tema. Parece ser que el mesón figura y sirve de disfraz, como pasa con los asturianos, a una realidad de mayor amplitud: quizá el engaño universal existente en torno a la calidad de personas y cosas. Paradójicamente, López de Ubeda nos enumera una serie de símbolos augustos en cosa tan prosaicamente simbólica como es un mesón y hasta va a buscar en la Biblia un patriarca para hacerlo patrón de los mesoneros (P, I; L, I; C. III, núm. 1). Seguramente Puyol acertó cuando halló estrecha relación entre este trozo de la obra y aquella página de la *Vida de San Raimundo de Peñafort,* en la que fray Andrés Pérez, ya en 1602, había evocado el hospitalario papel de Abraham en esta vida y en la otra, según los dos Testamentos *(Génesis,* XVIII, y *San Lucas,* XIV, 22). Pero este paralelismo no se debe a un azar ni a que el autor de las dos obras sea el mismo. Lo que aparece claro es que el médico López de Ubeda quiso burlarse del libro del dominico que tan bien conocía y que tan poco apreciaba. Indudablemente por esto, si bien saquea aquel gordo librote, por otro lado descarría al lector poniéndole sobre una pista falsa: «Dígolo —dice Justina— por un librito intitulado *La Eufrosina* que leí siendo donzella...» Esta clase de burla que tanto encanta a nuestro autor, gustó no sólo a Rabelais y a don Francesillo de Zúñiga, sino hasta al muy serio Fray Antonio de Guevara. (A ello alude, burlonamente,

Lope de Vega en su novela corta *La desdicha por la honra)*. No. Desde luego López de Ubeda no fue un seudónimo de fray Andrés Pérez, aunque toda la historia de estos personajes aún está por estudiar.

En son de sátira multiplicó nuestro médico las notas marginales, como en serio lo hizo también el fraile, y como él, y aun más que él, abusó de los jeroglíficos literarios entonces de moda. Pero los «giroblíficos del mesón», como los llama Ubeda, prestando a su pícara una ignorancia sanchopancesca de las palabras cultas, se convierten bajo su pluma en jeroglíficos de burlas, como tantos otros que inventó.

En cuanto a las páginas consagradas por Justina a la muerte de sus padres y el frenesí con que en ellas se entrega a la broma sobrepasan, con mucho, los más amargos sarcasmos del *Buscón*. El héroe de Quevedo es capaz de sentir vergüenza. Justina, en cambio, ha llevado hasta el absurdo la objetividad tradicional con que los pícaros, desde Pármeno y Lazarillo, hablan de la ignominia de sus padres. El innoble horror de aquellos funerales mesoneriles parece, en realidad, una trasposición ultrarrealista de las negaciones y los ultrajes a que se veían expuestas algunas familias pendientes de expediente de limpieza de sangre, cuando en frase entonces consagrada, les «desenterraban los muertos».

La insensibilidad de Justina ante el luto y la muerte está a tono con la insolente desenvoltura con que habla de cosas de la Iglesia que ella pretende ignorar. Por muy inmunizada que España esté contra el virus picaresco es difícil comprender cómo burlas tan cínicas pudieron pasar como un mero «entretenimiento» de un «demasiado ingenioso dominico leonés» (M. Pelayo). Finalmente cabe preguntarnos si las más repugnantes imágenes del entierro de la madre de Justina no poseen, en realidad, como los disparates de los asturianos, un oculto sentido figurado, y sin embargo, preciso, que quizá se descubra, algún día, por una inesperada coincidencia. En la serie picaresca, la obra de López de Ubeda es libro aparte.

C) Curso de 1960

Con el título de «Lo burlesco y lo barroco en *La Pícara Justina*» consagramos diez lecciones a estudiar lo burlesco de esta obra singular, sin preocupaciones de aplicarle una idea preconcebida de lo barroco, queriendo contribuir, por el contrario, a dar un sentido aceptable a tan temible epíteto y entregándonos al estudio de algunas formas lúdicas de la literatura no satisfactoriamente tenidas en cuenta en los estudios «barroquistas».

López de Ubeda, a pesar de sus despistadoras indicaciones, más que seguir el estilo de facecias del siglo anterior lo que hace es renovarlo. Para lo cual explota literariamente una tradición oral de «burla» que es la empleada por los bufones de los reyes o de los grandes señores, vena que aún está lejos de agotarse en aquella primera mitad del siglo XVII, a la que todos coinciden en aplicar la calificación de «barroco». No es sólo Shakespeare el que se complace con el humor de los «locos de palacio». También Lope de Vega, en el tipo de lacayo bautizado por él como «figura de donaire», infunde algo de este humor. Todavía en la época de la guerra de los Treinta Años surge en España, o en los Países Bajos españoles, el autor desconocido de Estebanillo González, que hace de su héroe una mezcla de bufón de palacio y de correo diplomático; mientras en Alemania *Simplicius Simplicissimus,* al vestir la librea de «*Schalksnarr*», ingresa en la corporación de los bufones profesionales. La insolencia de los bufones es agresiva, sin miramientos y ello les expone, en justa reciprocidad, a sufrir burlas aún más crueles que sus agudos dichos.

La tradición española con la que relacionamos a López de Ubeda había sido ya toscamente elaborada en la crónica burlesca de don Francesillo de Zuñiga, bufón de Carlos V. Es una culminación del arte, socialmente poco refinado, en el que España descuella según Castiglione y G. della Casa, el de los «motes» o «apodos», o sea chistes ofensivos. Justina es «única en dar apodos».

La misma tradición de los motes alimenta también los *Diálogos de apacible entretenimiento,* de Gaspar Lucas Hidalgo, obra exactamente contemporánea de nuestra *Pícara,* y es buen camino para entrar en lo bufonesco desde don Francesillo hasta el parásito bufón de los *Diálogos,* Castañeda, en quien puede seguirse el éxito que tuvieron los motes que hacían referencia a la impureza de sangre, tema fundamental, como sabemos, de López de Ubeda. Por otra parte, el doctor

Villalobos es un buen ejemplar de médico-humorista que cuida a los poderosos y les hace reír, siempre con una mordaz respuesta en los labios contra las pullas de aquéllos acerca de su sangre impura o contra las necias reprobaciones de otros médicos que tienen celos del éxito de sus bufonescos colegas. La figura del médico que desafía con sereno humor a sus nobles y difíciles pacientes es la que volvemos a encontrar en el Pedro de Urdemalas del *Viaje de Turquía* y en los *Discursos medicinales* del licenciado Juan Méndez Nieto (t. I, Madrid, 1957).

El licenciado López de Ubeda, que muy probablemente era de familia «conversa», como Villalobos, sólo nos parece inteligible si le consideramos como prolongación de la línea de médicos «chocarreros» en la que figura también el doctor de los *Diálogos* de Hidalgo, no sólo por lo que gusta, como viejo estudiante, de las bromas de los aprendices de médicos, sino de las matracas universitarias, en general. Si nada de esto ha sido tomado en cuenta hasta ahora (sobre todo a causa de la absurda atribución de *La Pícara* a un fraile), hay que reconocer que el autor-médico de este libro embroma doblemente al lector cuando presta su ingenio a un «pícaro» hembra y su saber a una pueblerina autodidacta. Una de sus maneras de enseñarnos la oreja consiste en el elogio que Justina hace, en varias ocasiones, de «Doña Oliva», es decir: del autor de la *Nueva Filosofía de la naturaleza del hombre* (Madrid, 1587), cuyas doctrinas médicas ponían el fundamento de la salud en la alegría. Nuestro autor, contemporáneo del bachiller Miguel Sabuco y criado en la misma región de España, conocía, seguramente, el secreto de éste (sólo definitivamente revelado a principios del siglo XX) consistente en que Doña Oliva Sabuco no es sino el testaferro de su propio progenitor.

Todo ello nos autorizaba a abordar lo burlesco de *La Pícara Justina* estudiando lo que la falsa pueblerina de Mansilla de las Mulas debía a tener un padre médico. Hemos analizado su papel de medicastro de burlas con la mesonera gorda de León en el episodio de la bizma de Sancha Gómez. No puede ser más significativo el que en esta grosera farsa, en la cual es saqueada la despensa de la víctima, la que lleva la voz cantante es la propia heroína, aunque haga pasar por médico a su compañero de viaje, el estúpido barbero de Mansilla. No menos característico de la «picarada» concebida por López de Ubeda y del estilo de «burla» que presta a Justina es que el robo de los comestibles de la mesonera sea coronado con un robo de su dinero y que la obesa Sancha guarde, a pesar de ello, un eterno agradecimiento a la Pícara.

Para nosotros una cuestión capital era la relación de nuestro libro —que disfraza un propósito de crónica burlesca de la corte de Felipe III— con el género picaresco y más particularmente con el *Guzmán de Alfarache*. Hemos examinado el uso que el autor hace de «pícaro», «picaresco», «picaral» y «picarada», todo un sector del vocabulario de López de Ubeda que no había suscitado la curiosidad de Puyol. Hemos discutido la correspondencia de estos términos con algunas realidades a la vez sociales y literarias, teniendo en cuenta que cierta «máscara» en un sarao de Corte, precisamente en 1605, adoptó el disfraz «a lo pícaro» con intercambio de trajes entre uno y otro sexo. Y ocurre que la cuadrilla de estudiantes disfrazados que rapta a Justina de la romería de Arenillas nos ofrece, dentro de la novela misma, una variedad de «picarada» distinta.

Esta palabra reveladora, inventada para designar la obra que nos ocupa como juego picaresco, debería apartarnos de considerar a Justina como un retrato hecho directamente del natural, de una variedad social, más o menos frecuente, de pueblerina «apicarada», porque lo que en realidad es Justina es una encarnación de la desvergüenza ciudadana, disfrazada de pueblerina, del mismo modo que las damas de la capital acostumbraban entonces a disfrazarse de «villanas». Esta equivocación fundamental ha conseguido viciar todos los juicios acerca del personaje de la Pícara y ha falseado todas las comparaciones posibles entre Justina y el Pícaro Guzmán. En nada se parecen un alarde conscientemente artificial (Justina) y una biografía que imita el ritmo de la vida misma (Guzmán de Alfarache). Notado esto, es imposible creer que López de Ubeda, a pesar de sus irónicas declaraciones, haya escrito su libro entre 1580 y 1590 y se haya decidido a publicarlo «algo aumentado» después del éxito del de Mateo Alemán. Nuestra *Pícara Justina* fue concebida de 1602 a 1603, poco después del viaje real a León, en pleno éxito del primer *Guzmán* y de su primera continuación apócrifa y fue acabada en 1604 al aparecer la *Segunda Parte* de Mateo Alemán.

Es una réplica sarcástica a aquella literatura de entretenimiento relativamente seria. El médico bufón López de Ubeda toma de Alemán, como apoyo para sus ejercicios de virtuosismo, algunos esquemas o pretextcs autobiográficos. Así, si el pícaro arrepentido escribe sus memorias en galeras, Justina, la incorregible cínica, nos quiere hacer creer que cuenta su juventud con la perspectiva de una mujer más que madura, en el momento en que llega al puerto de un tercer matrimonio: su boda precisamente con Guzmán. Pero basta leer la introducción («La melindrosa escribana»), en la que se ven pasar reminiscencias de los preliminares de Mateo Alemán, así como el sorprendente capítulo de la genealogía de Justina o la cuarta y última parte, consagrada a los pretendientes de la heroína, y a su primer «novio», cuyo rufianesco carácter luce una capa de «hidalguía», para que tengamos la impresión de que la «novela picaresca» clásica facilita a nuestro autor sólo un marco —una vida contada con excesivo pormenor y con una libertad ilimitada de digresión— en el que encuadrar una sátira de los tormentos genealógicos padecidos por los privilegiados de la época y un trozo de gaceta burlesca de la Corte. Para el lector el percibir en *La pícara Justina* una analogía de conjunto con la irregularidad y la impureza de cuna del *Pícaro Guzmán de Alfarache* o con su desgracia conyugal, era tanto más divertido cuanto que así descubría en aquel postizo cuadro una materia totalmente distinta de los episodios con moraleja de la vida de Guzmán.

Para poder apreciar el arte de burla de Justina, y de su padre espiritual, en toda su extensión, hemos estudiado de cabo a cabo la estafa del «agnus» de oro que la Pícara da, y recupera luego, al tramposo Pavón, desde la escaramuza que le sirve de pretexto para ello, hasta el duelo epistolar que forma como un epílogo a la aventura y prolonga en palabras la burla en acción. Hemos confirmado nuestra impresión de que el licenciado Marcos Méndez Pavón, y su pariente el ermitaño hipócrita deben de ser transposiciones (que serían transparentes para el lector advertido de 1605) de personajes conocidos en la Corte. La burla de los bufones no era una sátira genérica, sino una agresión personal, que esgrime ciertos temas conocidos como otras tantas armas. Justina, fiel al arte de «motejar» como lo censura el *Galateo español,* se encarniza en el ataque contra los defectos sociales y físicos de su víctima y, además, burlando a un burlador y robando a un ladrón, hace gala de un extraño virtuosismo y se apunta todos los tantos con singular complacencia. Así llega hasta hacer valorar por un platero el agnus de oro dado por ella a trueque del Cristo de Oro de que se apodera, antes de cambiarlo por el agnus de plata dorado, en un rápido escamoteo. Por otra parte —virtuosismo psicológico—, al mismo tiempo que maneja al atrevido y vanidoso Pavón, le representa el papel de dama pudorosa y tímida y la «moralidad» que de todo ello extrae el autor, lejos de reprobar esta simulación interesada y cínica de la virtud, finge que alaba aquel simulacro. Encontramos en este episodio, con las bromas acerca del deber de restituir y con la falta de respeto hacia las joyas devotas convertidas en meros objetos de trueque y estafa, un aspecto típico, aunque no muy conocido, de la época barroca en la que la Contrarreforma se supone que reina y en la que florece la casuística. El enfrentamiento epistolar final del fullero y de la Pícara, en el que ésta logra una segunda victoria, nos recuerda a la vez las *Cartas del Caballero de la Tenaza,* de Quevedo, y el juego de «fisga» y «contrafisga» entre Perlícaro y Justina del comienzo del Libro Primero. Comparativamente, Guzmán de Alfarache no podría acusarse sino de triunfos modestos de virtuosismo en el arte de hurtar (en el Palacio del Cardenal), y como «chocarrero» de palacio *(Segunda Parte,* Libro Primero, c. 2, «En casa del Embajador») alcanza muy poco relieve.

Este frenesí de burlar que distingue a Justina plantea el problema de saber en qué medida las «burlas» las compensa López de Ubeda con «veras» y con serias enseñanzas morales. También en este punto hay que revisar, totalmente, la interpretación de Puyol y de aquellos que, después de él, juzgaron a Justina como una ingenua aldeana, como tuvieron a su autor por un bendito fraile asustado y orgulloso a la vez de su propia libertad de péñola. Hasta el mismo Puyol, sin embargo, se había visto tentado de la sospecha de «que el autor se burlaba de la materia y de los lectores». Para nosotros no hay duda de que López de Ubeda engaña al lector crédulo no sólo con su grave *Prólogo,* sino con sus «aprovechamientos» chabacanos o grandilocuentes, tan poco en consonancia con las historias cuya moraleja pretenden sacar.

En cambio, es fácil de distinguir un cierto número de temas recurrentes que debían preocuparle mucho y que señalan, so capa de la ignorancia religiosa de que hace gala Justina y del *quid pro quo* de los «aprovechamientos», puntos débiles de la práctica o de la enseñanza religiosa entonces al uso, objetos y formas vulgares de la devoción, rutinas de la predicación y de la casuística de aquel tiempo. Si el libro no hubiera sufrido un eclipse en la época en que el Quevedo del *Buscón* y de *Los Sueños* fue acusado de herejía por la liga de los devotos, *La Pícara Justina* hubiera podido también ser llevada ante el «Tribunal de la justa venganza». También nosotros hemos tenido que rectificar nuestra primera impresión de que en la tediosa profusión de «jeroglíficos» y de fábulas con las que Justina, «humanista» autodidacta, suele salpicar sus dichos, pudiera esconderse una enseñanza moral. En esto, nuestro médico enmascarado y disfrazado con faldas engaña sobre todo a los ingenuos, para divertir así a una minoría cómplice suya, los «hieroglíficos» que de tanto prestigio gozan en la obra de un Sebastián de Covarrubias, los convierte la falsa ignorante que los llama «giroblíficos» (o «la giroblera») en medios descabellados de disfrazar la realidad de las cosas. El simbolismo burlesco es el fuerte de nuestro autor. En cuanto a sus fábulas de animales, de nada serviría buscarles origen en los más raros bestiarios o colecciones de apólogos. López de Ubeda gusta de engañar por la falsa mitología y por las fábulas falsas como por las referencias inventadas (cf. *supra,* pp. 14-15). La fábula más extensa: la de la zorra y la gata (I, 1.ª parte, c. 1, número 1) parece que tiene su clave en la historia contemporánea. Otras varias como las de la metamorfosis de Onocrotala en chinche (L. II, p. *III,* c. 2, núm. 2) y la del sapo en paloma (L. III, c. 6) cesan de ser totalmente absurdas si pueden abrirse con la ganzúa de la «limpieza de sangre». La fábula del sapo parece que tiene un sentido claro cuando se interpreta «castidad» como sinónimo de «limpieza» y cuando se reconoce en el retrato oculto en las aguas del Danubio quién sabe qué documentos sepultados en el río del olvido.

Es posible, entonces, el pensar en los dramas y en los subterfugios anejos a las encuestas genealógicas. Como también la historieta seudohistórica de los pueblos que colgaban la ropa de los malhechores (perfecto «jeroglífico de la injusticia» que hace pagar a justos por pecadores. *Introducción*, número 2), cesa de ser incoherente sólo con pensar en los «sambenitos» de los condenados por la Inquisición y en las discriminaciones que habrán de sufrir sus descendientes. Los enigmas, no lo olvidemos, estaban de moda entonces.

También hemos debido interrogarnos acerca de la razón de ser estilística de los pequeños poemas que sirven de argumento a cada uno de los «números», cuya serie se equilibra con la de los «aprovechamientos» que los terminan, como la línea de corchos flotantes sirve para equilibrar los plomos de las redes de pesca. Si estos poemas forman un «arte poética» jocosa, como colección de formas estróficas raras que son, no por eso rivalizan menos en chabacanería con las incongruentes moralejas.

Hemos analizado, procurando no disociar forma y sentido, el número titulado *Del pretensor disciplinante* desde el pedestre argumento versificado en «liras» (pero con ¡versos de cabo roto!) hasta el «aprovechamiento» que condena el «loco amor». Aquí también es fácil de discernir una segunda intención de crítica religiosa y social contra la falsa devoción de las procesiones en que los penitentes se azotan por lograr la lluvia o para exhibirse ante sus enamoradas, contra la vanidosa pobretería de los vascos seudohidalgos que para mejor exaltar su ascendencia paterna desprecian a su madre plebeya. Y proponiéndonos Dios sabe qué adivinanza sobre el tema de «la ropa limpia», una «sábana de Rouen» que Justina había dado a lavar a la madre del pretendiente, lavandera de profesión, es utilizada por aquél para disfrazarse de penitente antes que poner al descubierto sus harapos dignos del Don Toribio del *Buscón* (I, XIII). El humor del episodio reside sólo en parte en su desarrollo: una «procesión» formada por un único flagelante que atrae a toda una banda de pilluelos, se ve interrumpida por una petición de mano que Justina rechaza con insolencia, regada por la heroína desde una ventana, y provoca tal desorden que todo acaba con la llegada de los corchetes. Preludia realmente la chanza en las sentenciosas frases dedicadas a los disfraces que usa el amor, sigue en una patochada folklórica sobre el hermoso traje del portugués y serpentea en ciertos juegos de palabras en los que la figura efímera del pretendiente, como hidalgo falso y como «disciplinante» grotesco, apenas es esbozada sino para que la veamos despiadadamente aniquilada y para que la maestra de las burlas se glorifique de ello con insolencia, no dejando al autor sino el oficio de moralizar sin gracia y fuera de lugar. Es éste un arte de charada que, con razón, irritaba a Menéndez Pelayo, pero que nunca podrá comprenderse hasta que no se deje de ver en él o una exasperación del «manierismo» del siglo anterior o una imitación frustrada de la nueva «novela picaresca». El menos inadecuado de los términos de comparación es Quevedo, siempre que pensemos en *Los Sueños* y en las bromas de la juventud estudiantil al mismo tiempo que en *El Buscón.* Sólo que la autobiografía de Pablillos de Segovia trata de conseguir un ritmo de vida auténtico mientras que Justina se desentiende de ello.

Hemos estudiado, en nuestra última lección, el libro que nos ocupa como un desafío a la poética renacentista y hemos escogido como expresiones de esta poética, por una parte, los diálogos de la *Filosofía antigua poética,* de Alfonso López Pinciano, y las Artes poéticas de Miguel Sánchez de Lima Lusitano y de Juan Díaz Rengifo; por otra, las profesiones de fe de Cervantes en el *Viaje del Parnaso* y el elogio de la poesía por Don Quijote en casa del «Caballero del Verde Gabán». De lo que López de Ubeda se burla no es sólo de la venerable técnica de los versos y del tesoro de fábulas y figuras significantes invocadas sin cesar como legado de los poetas («fingen los poetas»), sino también de un ideal de dignidad de aquel arte y de una ética del poeta (pobre y libre) que hacen de éste la antítesis del bufón cínico.

El ideal cervantino de hallar una «fábula» susceptible de agradar lo mismo al ingenuo que al refinado, preocupado de «consonancia» con sus espíritus, amante de la claridad, de la propiedad y de la verosimilitud hasta en las más extrañas invenciones, queda pisoteado también por el autor de *La Pícara Justina.* De aquí sin duda que Cervantes haga de él, en su *Viaje,* el adalid de los agresores del Parnaso que se agrupan bajo el signo del Cuervo («jeroglífico» del «chocarrero») para combatir a la bandera del Cisne.

Si bien es cierto que la parodia triunfante en la llamada «época barroca» es un proceso de deformación y acabamiento de la herencia del Renacimiento, López de Ubeda constituye un caso instructivo de este fenómeno si lo tomamos en toda su complejidad. Nos invita a hacer un estudio comparativo de lo burlesco, sobre todo en la poesía de la época del *Romancero General* de 1600-1604 y de la de Góngora.

3

URGANDA ENTRE *DON QUIJOTE* Y *LA PICARA JUSTINA*

La corte literaria de Valladolid hacia 1604, su mundo de literatos y las relaciones de éstos con los grandes, reviven con una animación insospechada desde el momento que descubrimos *La Pícara Justina* ocupando su verdadero lugar en ese mundo. Pues este libro ambiguo y travieso debe salir del confinamiento a que ha estado condenado por haberse cerrado lamentablemente a partir del siglo XVIII todos los caminos de acceso a él.

¿Cómo se concibe que haya podido perdurar la obstinación de ver en ese libro una obra provinciana, marginal, arcaizante, pasada de moda antes de nacer? ¿Cómo se ha podido, una vez comprobada sin género de duda la existencia del médico Francisco López de Ubeda [1], seguir atribuyendo su obra al dominico leonés fray Andrés Pérez, quien habría usurpado su identidad? ¿Suponer que esta quintaesencia del picarismo se destiló veinte años antes de Guzmán de Alfarache? ¿Creer que la insolente heroína es una auténtica lugareña, llamada a la existencia literaria por el placer de pasearla por León?

Esta concepción inadecuada se abrió camino partiendo de una suposición «en el aire», lanzada por algún dominico amigo de los «chistes» y vagamente envidioso del lustre jovial y profano que les valía a los jerónimos la atribución del *Lazarillo* a fray Juan de Ortega [2]. Se necesitó toda una serie

[1] Documentos de 1590 sobre su matrimonio, publicados por C. PÉREZ PASTOR, *La imprenta en Medina del Campo,* Madrid, 1895, pág. 478.

[2] La comparación de los dos casos fue hecha por Mayans en 1731 en

de ignorancias o de errores propicios para que esta simpleza eclipsase el verdadero sentido de *La Pícara Justina* y sus orígenes «cortesanos», patentes sin embargo por su alusión a *Don Quijote* todavía inédito y por su dedicatoria a don Rodrigo Calderón, uno de los dos personajes más poderosos de la corte después del duque de Lerma.

Nicolás Antonio, que contribuyó a desviar el libro sobre una vía muerta al acoger la habladuría del origen dominico, tenía la excusa de conocer solamente la edición de Bruselas (1608), en la que la dedicatoria a Rodrigo Calderón fue sustituida por otra. Mayans hubiera sido capaz de poner las cosas en su punto cuando escribió su noticia para la reimpresión de 1735 [3]. El editor madrileño Juan de Zúñiga tomaba entonces como base la edición de Barcelona, 1640, en la que subsiste la dedicatoria primitiva, pero conocía además la edición princeps de Medina del Campo, 1605, de la que toma la Aprobación y el largo *Prólogo al lector,* ausente de las ediciones barcelonesas de 1605 y 1640. Daba por extenso la epístola dedicatoria a «Don Rodrigo Calderón Sandelín» que figuraba en las ediciones peninsulares del siglo XVII. Por lo demás, Mayans, que era bastante buen catador de estilos, era capaz de reconocer en el autor de *La Pícara Justina* no a un imitador tardío del amaneramiento de Guevara, sino a un audaz innovador barroco: López de Ubeda era para él «el primer Español que, dejando la propiedad y gravedad de nuestra lengua, abrió el nuevo camino de inventar por capricho, no sólo vocablos, sino modos de hablar». Es probable que «Sandelín», segundo apellido del obsequiado, y las modestas «señorías» con que se adorna, impidieron a Mayans identificar a éste con el favorito que había entrado, hacía más de un siglo, en la historia llevando sobre el cadalso el título de Marqués de Siete Iglesias. Y además creyó poder basar a muy poca costa la pretensión dominicana sobre una

---

una carta latina a Miguel Egual sobre los libros de atribución controvertida (G. MAJANSII, *Epistolarum libri VI,* Valencia, 1732, pág. 324).

[3] Esta noticia, no firmada en la edición de 1735, y cuya paternidad le ha sido a veces negada a Mayans, la reimprimió Mayans con su nombre en el tomo II (págs. 312-318) de las *Cartas morales, militares, civiles y literarias de varios autores españoles,* Valencia, 1773 (edición anterior de Madrid, 1734-1736).

explicación sutil (pero ¡tan frágil!) de una línea de la *Pícara,* haciendo de «un Pérez de Guzmán el Bueno» como una firma disfrazada de un dominico llamado Pérez [4]. El siglo XIX siguió ciegamente a Mayans. En el siglo XX *La Pícara Justina,* cuya calificación de obra monacal y provinciana había ratificado Menéndez y Pelayo [5], tuvo a la vez la fortuna y el infortunio de seducir a un erudito leonés. Julio Puyol [6] puso todos sus afanes en dilucidar este libro erizado de dificultades. Pero lo hizo, ¡ay!, empecinándose en justificar la tesis dominicana y leonesa. Cosa extraña; a pesar de reproducir y corregir escrupulosamente, en dos volúmenes, la edición de Medina del Campo de 1605, a pesar de reproducir su portada y de llenar un tercer tomo con estudios y anotaciones, no tuvo una sola palabra para explicar los blasones colocados en el frontispicio de esta edición princeps ni tampoco para comentar la epístola dedicatoria en la que el autor pide a don Rodrigo Calderón y Sandelín «el permiso para honrar y amparar este libro con el escudo de sus armas». Quizá *La Pícara Justina* hubiera sido puesta en su verdadera luz de haberse ocupado de ella un erudito de Valladolid como Narciso Alonso Cortés. El único en señalar la relación más prestigiosa de la *Pícara* fue José Martí y Monsó en su trabajo tan documentado sobre «Los Calderones y el monasterio de Nuestra Señora de Portaceli» [7]. Había visto muy bien, desde 1908, que el libro estaba dedicado al favorito del favorito de entonces. Pero los eruditos locales —y por desgracia, también otros— se ignoran mutuamente. Puyol ignora en 1912 que la rica documen-

---

[4] Al final de la Introducción general... intitulada «La melindrosa escribana», núm. 3: «Del melindre a la culebrilla». Cf. *infra.*

[5] En su introducción (1905) al *Quijote* apócrifo, donde rechaza justamente la atribución de este libro al autor de *La Pícara Justina* (reimpresa en *Estudios de crítica literaria,* cuarta serie, Madrid, 1907).

[6] Edición de *La Pícara Justina* en la colección de la Sociedad de Bibliófilos Madrileños, ts. VII, VIII y IX, Madrid, 1912. El t. III da, después del estudio, y las notas, una cuidada bibliografía de las ediciones anteriores.

[7] Aparecido en el *Boletín de la Sociedad Castellana de Excursiones,* Valladolid, 1908-1912. Citado aquí *BSCE.* Este trabajo no tuvo la suerte de ser citado por B. SÁNCHEZ ALONSO, *Fuentes de la Historia Española,* Madrid, 1927, quien extracta el *Boletín* sólo a partir de 1913. Véase, en particular, la mención de *La Pícara Justina* dedicada a Rodrigo Calderón en *BSCE,* 1908, t. III, pág. 512.

tación de Martí y Monsó ofrecía, desde hacía dos años, todo lo necesario para comentar el escudo de don Rodrigo y para plantear al menos el problema de las posibles relaciones del licenciado Francisco López de Ubeda, médico, con este hombre tan poderoso.

Pero a López de Ubeda lo perseguía la mala suerte. Hasta los cervantistas, que hubieran debido sentirse incitados a ver más claro en el asunto por el encarnizamiento de Cervantes contra esta personalidad enigmática, permanecieron irremediablemente ciegos por la inconsistente atribución que Mayans y después Menéndez y Pelayo habían canonizado. Sin embargo, no es un papel insignificante el que Cervantes [8], cerca de diez años después de la aparición de *La Pícara Justina,* asigna a su autor y a su ruidosa irrupción en la república de las letras:

> *Haldeando venía y trasudando*
> *el autor de* La Pícara Justina,
> *capellán lego del contrario bando.*
>
> *Y, cual si fuera de una culebrina;*
> *disparó de sus manos un librazo,*
> *que fue de nuestro campo la ruïna.*
>
> *Al buen Tomás Gracián mancó de un brazo;*
> *a Medinilla derribó una muela*
> *y le llevó de un muslo un gran pedazo.*

Estos versos son de los más célebres del *Viaje del Parnaso.* Pero José Toribio Medina, obsesionado por la idea tradicional de la *Pícara,* interpretó el primer acto completamente al revés. Rodríguez Marín rectificó cumplidamente el error del gran erudito chileno, observando que «capellán lego»,

---

[8] *Viaje del Parnaso,* de Miguel de Cervantes Saavedra, edición crítica y anotada... por Francisco Rodríguez Marín, Madrid, 1935, cap. VII, páginas 93 y 359. Cf. la edición de J. T. Medina, Santiago, 1925, págs. 258-259 y III, pág. 99, sobre Tomás Gracián; págs. 156-160, sobre Medinilla, a quien J. T. Medina identifica con Baltasar Elisio de Medinilla (Rodríguez Marín demuestra de manera convincente, págs. 192 y 359, que debe de tratarse del sevillano Pedro de Medina Medinilla).

lejos de confirmar la tesis según la cual el autor de la *Pícara* sería un hombre de Iglesia, parecía más bien echarla por tierra. Pero tan arraigada estaba la atribución a fray Andrés Pérez que, aun poniéndola en tela de juicio, Rodríguez Marín no menciona siquiera el nombre de López de Ubeda en su comentario y ¡es en el nombre de Pérez (fray Andrés) donde hay que buscar nuestro pasaje y la nota correspondiente en el índice de autores citados en su edición del *Viaje!*

Siendo conocido en la España de entonces un «licenciado Francisco López de Ubeda, natural de Toledo» y médico, todo espíritu desapasionado habría debido suponer que la caricatura cervantina apuntaba a este médico y que lo denunciaba como desempeñando en algún palacio un papel de médico para todo, papel comparable al de los capellanes estigmatizados por Covarrubias [9] por hacer a su señor, a la sombra de su hábito eclesiástico, servicios «incompatibles con la dignidad sacerdotal». Se sabe que Lope de Vega hizo servicios celestinescos al duque de Sessa, cuyo secretario era, antes y después de su ordenación. El verbo «haldeando» evocaba a la vez a la Celestina, las faldas de Justina con las que el autor se había disfrazado, y sin duda la amplia capa con que los médicos realzaban su importancia doctoral [10].

Y el autor de *La Pícara Justina,* insistamos en ello, era descrito por Cervantes como uno de los más temibles entre los pseudopoetas que asaltaban el Parnaso tras el estandarte del Cuervo, siendo rechazado con dificultad su ataque por los fieles de Apolo que cerraban sus filas en torno al estandarte del Cisne. No se puede analizar aquí a fondo el simbolismo de ambos estandartes. Pero hay que pensar sin duda que, según Cervantes, como según Covarrubias [11], el Cuervo era «jeroglífico» del adulador —desde los egipcios, o al menos desde los griegos, quienes jugaban con la paronomasia

---

[9] *Tesoro de la lengua castellana,* Madrid, 1611, s. v. *Capilla.*

[10] Véase, en particular, *Segunda Parte del Romancero General,* Madrid, 1605, folio 98 r.° (reimpr. de J. de Entrambasaguas, Madrid, 1948, t. II, página 105: «sale el médico valiente / sobre su mula y gualdrapa, / más largo en la barba y capa / que en las letras diligente...»). Número 1.341 del *Rom. Gen.,* reimpr. de A. González Palencia, Madrid, 1947, t. II.

[11] *Tesoro,* citado, s. v. *Cuervo.* Ni J. T. Medina ni Rodríguez Marín comentaban el emblema.

de *corax* (cuervo) y *colax* (adulador)— y que uno y otro asimilaban a los «chocarreros y hombres de plazer» que adulaban a los grandes y llevaban una vida de parásitos y bufones profesionales, una variedad odiosa de regocijadores públicos, «puros romancistas, copleadores de repente y trobadores de pensado». ¿Qué tiene de extraño que Cervantes juzgase graznidos, en lo físico y en lo moral, los laboriosos ejercicios versificados que condensan las aventuras de Justina y uno de cuyos versos hacía a Don Quijote el dudoso honor de nombrarlo?

Se siente en Cervantes, con relación a López de Ubeda, alguna animosidad más personal. Lo condena a «vomitar el alma» en las laderas del Parnaso bajo el golpe de seis seguidillas, encajadas brutalmente en su gaznate, ahogo que recuerda los de la madre de Justina y de su tatarabuelo el tocador de cornamusa [12]. Y esta muerte es para el ejército del Cisne el momento en que la esperanza cambia de campo, cuando dos de los suyos acababan de ser heridos por la *Pícara,* lanzada como una bala de cañón... No se sabe de qué modo Medinilla [13] pudo ser afectado por el «librazo» de *La Pícara Justina.* Pero la invalidez que este disparo brutal infligió «al buen Tomás Gracián» parece ser la traducción burlesca de un contratiempo real que el aspecto insólito de la edición princeps de la *Pícara* permite adivinar.

Esta, confiada quizá en la protección de Rodrigo Calderón, infringe descaradamente los reglamentos editoriales vigentes hasta el punto de que la aparición de este libro, comparada con la de *Don Quijote,* su exacto contemporáneo, contrasta con ella como los modales de un pícaro desvergonzado con los de un hidalgo respetable. El Privilegio real —¿broma o negligencia?— va firmado Juan de *la Mezquita* en lugar de *Amezqueta.* El Privilegio estipula que el libro deberá imprimirse con las correcciones hechas sobre el manuscrito «por Tomás Gracián, que es la persona que hemos encargado de ver y corregir el dicho libro». Ahora bien, la Aprobación que comienza por «Por mandato de V. A. é visto este libro...» y concluye con el otorgamiento del privilegio,

---

[12] *La Pícara Justina,* L. I, cap. II, núm. 2, y cap. III, núm. 3.
[13] Cf. *supra,* nota 8, e *infra,* nota 53.

no lleva fecha ni firma (fue en 1735 cuando los editores más recientes comenzaron por primera vez a añadir la firma de Tomás Gracián al pie del documento). Tampoco está fechada la lista de Erratas firmada por el Dr. Alonso Vaca de Santiago. Y cosa más grave y más insólita, la «Tasa» no es tal tasa. Se limita a indicar la tarifa entonces vigente de tres maravedís y medio el «pliego», pero omite lo esencial: el número de pliegos y el precio total. No lleva tampoco ni fecha ni firma.

¿No es evidente que la alusión del *Viaje del Parnaso* se refiere a un disgusto preciso que le acarreó al buen Tomás Gracián esta publicación anormal? El brazo que simbólicamente le es arrancado, ¿no es aquel con el que hubiera debido firmar la Aprobación? ¿Se prescindió de su firma para ganar tiempo? ¿Se había hecho rogar para conceder la Aprobación? ¿No es también digno de notarse que este hombre honrado, encargado tantas veces hasta 1605 de examinar los libros que solicitaban permiso de publicación, quede muy pronto casi excluido de esta función y ello por largo tiempo, casi hasta la desgracia del duque de Lerma? [14]. Investigaciones ulteriores permitirán sin duda ver más claro en el caso Gracián y quizá también en el caso Medinilla. Lo que está fuera de duda es que la publicación de la *Pícara* repercutió sobre la suerte de estos dos hombres de pluma.

Pero el problema más apasionante planteado por las ediciones primitivas es el del escudo de las armas de don Rodrigo Calderón. ¿Por qué hizo una aparición tan fugaz en el frontispicio de la edición princeps de la *Pícara* para no reaparecer al frente de la obra hasta que don Julio Puyol reprodujo esta edición en 1912? ¿Por qué, en particular, falta dicho

[14] Es la impresión que deja la *Bibliografía Madrileña,* de PÉREZ PASTOR, tomos I y II (Madrid, 1891 y 1906). Véase también la lista de Aprobaciones de T. Gracián dada por J. T. MEDINA en *Viaje,* t. II, págs. 99-103. Pero sigue aprobando algunas comedias para su representación, especialmente obras de Lope de Vega (A. G. DE AMEZÚA, *Una colección manuscrita y desconocida de com. de L. de V.,* Madrid, 1945, menciona una Aprobación de T. Gracián en 1608 (pág. 29, *La batalla del honor)* contra nueve en los años 1600-1601. Véase asimismo, en 1616, la aprobación de *El sembrar en buena tierra* en la ed. de L. Fichter, Nueva York, 1944, pág. 151, y la nota de la pág. 236, en que el editor recuerda *El desdén vengado* aprobado en 1617 por T. Gracián).

escudo en la edición barcelonesa de 1605 que, al reparar algunas irregularidades de su predecesora, se granjea una nueva respetabilidad con breves aprobaciones del dominico fray Francisco Diago y del abate Palmerola, provisor del obispado de Barcelona? Pues si suprime, por razones poco claras, el largo *Prólogo al lector,* pese a estar concebido como un manifiesto edificante del autor contra las «comedias y libros profanos» en general, y como una apología de su propio libro en particular, esta edición sigue dedicada a «Don Rodrigo Calderón y Sandelín» e incluye la epístola dedicatoria en la que el licenciado López de Ubeda le pide la protección de sus armas; sólo que éstas están ausentes. Que dedicatoria y escudo de armas hayan desaparecido de la edición de Bruselas (1608), que ésta aparezca dedicada por su editor a don Alonso Pimentel y Esterlicq, miembro del Consejo de Guerra de Flandes, esto es más comprensible, ya que había corrido en 1607 el rumor de que Rodrigo Calderón iba a ser detenido [15] para seguir la suerte de don Pedro Franqueza, conde de Villalonga (el otro «brazo del duque de Lerma»), acusado entonces de concusión.

Si el problema de las relaciones del autor de *La Pícara Justina* con Rodrigo Calderón no hubiera sido lastimosamente descuidado, más de un cervantista, sin duda, al leer este libro odiado por Cervantes, este libro fastidioso por su profusión de «jeroglíficos», se habría sentido inquietado por la voz de Urganda, apicarada al gusto de Valladolid o de Sevilla, y prodigando sus cuerdas advertencias *Al libro de Don Quixote:*

> *No indiscretos hieroglí-*
> *estampes en el escu-,*
> *que cuando todo es figu-*
> *con ruines puntos se envi-* [16]

---

[15] Cabrera de Córdoba, *Relaciones de las cosas sucedidas en la Corte de España* (1599-1614), Madrid, 1857, pág. 306. Fue Pinheiro da Veiga quien, en 1605, comparando al Duque con la gran canal *(cano real)* del favor, dijo que se dividía en dos brazos, el Conde de Villalonga y Rodrigo Calderón *(Fastiginia,* Oporto, 1911, págs. 170-172).

[16] *Don Quijote,* ed. de Rodríguez Marín, t. I, Madrid, 1948, pág. 48.

Los jeroglíficos que Urganda le disuade de grabar en su escudo, ¿no eran estos inciertos blasones grabados por un adulador indiscreto en el frontiscipio de un «libro de entretenimiento» rival?

* * *

La inexistencia de la nobleza ensalzada por el autor de la *Pícara* en don Rodrigo Calderón resalta con bastante claridad del examen de dos series de documentos y de hechos: unos, confidenciales (informaciones genealógicas); otros, públicos (prefacios, portadas blasonadas, concesiones de honores). Lo que puede decirse de los primeros valdrá en la medida en que Martí y Monsó no haya dejado perder ninguno esencial. Calderón, a quien un favorito todopoderoso no rehúsa nada, hace dar sucesivamente «hábitos» a un tío de su mujer (1602), a sus propios hijos Francisco y Juan, todavía de corta edad (1605 y 1611); a su padre, el capitán Francisco Calderón (1609); a su tío materno Juan de Aranda Sandelín (1609)[17]. Pese a este perseverante esfuerzo por crear —a fuerza de «informaciones» genealógicas— una presunción de nobleza en favor de su familia, don Rodrigo no obtendrá personalmente un «hábito» de Santiago (mediante «pruebas» expeditivas y muy poco «probatorias») hasta diciembre de 1611[18], cuando el rey, resuelto más que nunca desde la muerte de la reina a alejarlo de la Corte, se apresurará a hacerlo partir con una misión diplomática. Y no era ciertamente por no haber deseado esta distinción, que ponía fin a toda posible controversia sobre la «limpieza» de su ascendencia y le daba por fin una base para hacerse otorgar un título nobiliario. Matías de Novoa[19], panegirista del duque de Lerma y de su hechura, destacó la importancia para Rodrigo de este paso, tan diferido, en su carrera de hono-

[17] *BSCE,* 1910, t. IV; véanse, respectivamente, págs. 387-8, págs. 352-5, págs. 355-6, págs. 327-9 y págs. 330-3.

[18] *Ibid.,* págs. 322-327. Dispongo de un microfilm de esta información.

[19] En *Memorias... sobre el reinado de Felipe III,* publicadas en la *Colección de Documentos Inéditos para la Historia de España,* t. LXI, pág. 115. Cuando fue despojado de su cruz de Santiago, antes de su ejecución, expresó su amargura por ello, pues había deseado ardientemente morir con esta insignia.

res: «... *el hábito de Santiago, que deseó más que ninguna cosa deste mundo,* y por lo que él dejara otras muy particulares y muy grandes».

Por otra parte, la publicidad dada a sus pretensiones o a sus conquistas heráldicas, en tres libros aparecidos en 1605, 1612 y 1618, es reveladora para quien puede juzgarla a la luz de las «informaciones» escalonadas de 1604 a 1611. Se necesitó más de un hallazgo para hacer de don Rodrigo un noble o simplemente un hidalgo «por los cuatro costados», especialmente por la ascendencia de su madre, de soltera «Aranda y Sandelín».

Entresaquemos brevemente los principales hitos que jalonan estos datos de interés para la historia literaria. La publicación de *La Pícara Justina* blasonada fue el primer fogonazo de esta publicidad, de la que parece se burló Urganda; el tercero iba a ser saludado por los sarcasmos de Lope de Vega.

Es mejor que digamos en seguida los resultados de las «informaciones» más antiguas y menos sospechosas. No se ve en la ascendencia de «Don Rodrigo», ni del lado de Calderón, ni del lado de Aranda y Sandelín, ningún «caballero» con el «Don» que el favor del duque de Lerma había agregado de golpe al nombre del hombre nuevo. Había nacido en Amberes (1576?) y muy pequeño aún había sido traído a España. Si nada permite discutir (ni tampoco afirmar) la hidalguía de su padre el capitán, su madre, María de Aranda y Sandelín, pertenecía a la burguesía de mercaderes de Amberes; y hay razones para creer que los Aranda eran de «limpieza» discutible, a pesar de que los testigos reunidos a toda prisa en Madrid y Valladolid en noviembre y diciembre de 1611 hayan declarado todos que no conocían contra la familia ninguna sospecha de impureza ni siquiera de trato con el comercio o la banca [20]. Al principio Rodrigo

---

[20] Hablé de la procedencia de Rodrigo Calderón de una familia de mercaderes el 7-XII-1959 en una comunicación titulada *Don Rodrigo Calderón anversois,* cuya traducción puede leerse en el presente volumen (págs. 91-121). En cuanto a la ascendencia paterna, el mismo Martí y Monsó publicó documentos auténticos que prueban un hecho cuidadosamente disimulado por las *pruebas:* el abuelo Rodrigo Calderón reivindicaba en 1551 su calidad de «hombre de negocios» que tenía «mercaderías y cobranzas». El padre, el

trató de soslayar su nacimiento en Amberes. Cuando en 1601 se casó con doña Inés de Vargas y Carvajal, hidalga de Extremadura que descendía de un famoso secretario de nombre proverbial, se declara «natural de Valladolid»[21].

Gracias a doña Inés, la «suite de orquesta» del ennoblecimiento de don Rodrigo tiene su «Prólogo en el Cielo». En 1603 el agustino fray Pedro de Vega dedica la tercera parte de su *Declaración de los siete salmos Penitenciales* «a Doña Inés de Vargas Camargo y Carvajal, señora de las villas de la Oliva y Placençuela, muger de Don Rodrigo Calderón, de la Cámara de su Magestad»[22]. No era todavía cosa de hacer valer un escudo: nobiliariamente hablando, don Rodrigo, favorito de un favorito, no es aún más que el marido de una biznieta del licenciado Francisco de Vargas. Las «señorías» lugareñas con que se adorna el nombre de la dama son propiedades raíces, no feudos, y, como tales, negociables. Y es ésta, sin duda, una de las razones por las que don Rodrigo, al día siguiente de su matrimonio, se hace ceder todos los bienes de la familia de su mujer... con la carga de pasarle rentas[23]; carga ligera para un hombre hacia el que riquísimas «mercedes» deducidas de los ingresos de la corona hacían correr un Pactolo.

En la portada de *La Pícara Justina,* en 1605, es don Rodrigo mismo el que aparece ya «Señor de las Villas de la Oliva y Plasençuela, etc.» (saboreemos el *etcétera).* Pero, cosa curiosa, este «Señor» es llamado, seguramente no sin intención, «Calderón Sandelín». La epístola dedicatoria de

---

capitán Francisco Calderón, parece haber obtenido primero, para suplir una «ejecutoria» ausente, un «hábito» de «donado» de la Orden de San Juan (PINHEIRO DA VEIGA, *op. cit.,* pág. 172), lo que era un «portillo» de acceso a la hidalguía notoria. Ninguna «ejecutoria» se invocó jamás en el curso de las múltiples pruebas hechas de 1604 a 1611 a Don Rodrigo y los suyos. Antonio Pérez Gómez ha podido incluir con verosimilitud en el apéndice de su *Romancero de Don Rodrigo Calderón,* Valencia, 1955, pág. 127, el terrible soneto de Quevedo contra un ennoblecimiento aventurado («Solar y ejecutoria de tu agüelo...»). Otra poesía de la misma colección (pág. 129), contemporánea de la caída del Duque de Lerma, dice sin rodeos ni tapujos que Rodrigo «tapar no pudo un portillo / del muro de su nobleza».

[21] Narciso ALONSO CORTÉS, *«Auto del matrimonio de Don Rodrigo Calderón»,* en *Hispania,* Rev. Esp. de Historia, Madrid, t. I, 1941, págs. 80-86.

[22] C. PÉREZ PASTOR, *Bibliografía Madrileña,* II, pág. 50.

[23] *BSCE,* 1910, t. IV, págs. 400-402.

LIBRO DE ENTRETENIMIENTO, DE LA PICARA IVSTINA, EN EL

qual debaxo de gracioſos diſcurſos, ſe encierran prouechoſos auiſos.

Al fin de cada numero veras vn diſcurſo, que te muestra como te has de aprouechar desta lectura, para huyr los engaños, que oy dia ſe vſan.

Es juntamente ARTE POETICA, que contiene cincuenta y vna diferencias de verſos, haſta oy nunca recopilados, cuyos nombres, y numeros eſtan en la pagina ſiguiente.

DIRIGIDA A DON RODRIGO Calderon Sandelin, de la Camara de ſu Mageſtad. Señor de las Villas de la Oliua y Plaſençuela. &c.

COMPVESTO POR EL LICENCIADO Franciſco de Vbeda, natural de Toledo.

CON PRIVILEGIO.

Impreſſo en Medina del Campo, por Chriſtoual Laſſo Vaca. Año, M. DC. V.

Edición de *La Pícara Justina,* de 1605, con el escudo de don Rodrigo Calderón

López de Ubeda celebra «la clara sangre de los nobilíssimos caualleros Sandelines, olandeses». ¿Por qué? Todo ocurre como si se quisiera, al mostrarse orgulloso del linaje Sandelín, abordar de frente una dificultad y, al mismo tiempo también, escamotear el linaje Aranda. El sutil autor de la *Pícara* tiene un movimiento de frase expresivo para salir del paso poniendo en pie de igualdad dos «noblezas» igualmente inexistentes: «la antigua nobleza de los Calderones y Arandas..., linages tan antiguos como nobles y tan nobles como antiguos».

Hay que saber que don Rodrigo Calderón, en octubre de 1604, cuando la impresión de la *Pícara* se hallaba en preparación o en curso, había comenzado a hacer sus pruebas de limpieza de sangre para entrar en la Cofradía del Hospital Real de Santa María de Esgueva [24]. Primer paso, primer «acto positivo», que podía facilitar el acceso a la prestigiosa Orden militar de Santiago. Se tiene buen cuidado de hacer constar entonces que la ciudad de La Haya, de donde es originaria la abuela María Sandelín, es inaccesible en la Holanda rebelde: allí no se puede abrir información. Acerca del abuelo Juan de Aranda, el testigo más explícito creía saber que se había dirigido a Flandes «con negocios de su hermano». Este hermano, Pedro, era depositario de bienes de Valladolid. Otros testigos hacen implícitamente beneficiarse a los Aranda de Amberes de la reputación de limpieza de sus homónimos de Valladolid al afirmar que el capitán Calderón hizo personalmente el viaje de Roma para obtener una dispensa que le permitiera casarse con su prima hermana (su madre se llamaba, como su mujer, María de Aranda). Es cierto que un testigo de consideración, «Juan Pascual, cauallero de la Orden de Santiago y del Consejo de Hacienda de S. M.» habla de un viaje, no a Roma, sino a Rouen. Habría conocido a los esposos Calderón y al pequeño Rodrigo de paso por esta ciudad en compañía de la abuela María Sandelín, que habría vivido con ellos en 1579-80. Aunque Pascual proclama que no ha oído decir nada en contra de su limpieza, ni siquiera de boca de sus enemigos, es muy sospechosa esta estancia en Rouen, ciudad bien conocida por

[24] *Ibid.*, págs. 296-299.

sus familias de mercaderes de cepa española, algunos de cuyos fundadores, al comienzo del siglo, habían preferido la nacionalidad francesa a la castellana. Tanto más cuanto que en esta Francia dividida por las guerras de religión, los protestantes apoyan a las provincias de los Países Bajos sublevadas contra Felipe II. ¿Por qué María Sandelín, abuela de Rodrigo, se había quedado en Rouen, dejando a su hija y a su yerno volver solos a España? Nadie habla todavía de los brillantes servicios hechos a la corona por los Sandelín. Nadie todavía, a lo que parece, en este otoño de 1604 en que Rodrigo es recibido cofrade del Hospital de Valladolid, se refiere a blasones pertenecientes a un linaje cualquiera del recipiendario.

Muy pronto se iba a dar este paso decisivo. Y era a esto a lo que debía ayudar la preparación artillera de la *Pícara* lanzada, con blasón, en Medina del Campo. Esta aparece a principios de 1605 sin duda. Pues bien, para encontrar el comentario de su escudo, basta volverse a las «pruebas» emprendidas en diciembre de 1605 para conferir el «hábito» de Alcántara al pequeño Francisco [25], que había nacido algunas semanas antes del otorgamiento de un privilegio a *La Pícara Justina.* Los testigos de esta información se refieren, como a un hecho de pública notoriedad, a las armas de Rodrigo Calderón..., tales como se las ve en sus reposteros y en la fachada de su casa. Por otra parte, el expediente recoge la descripción de las armas atribuidas por los interesados mismos a los diversos linajes de los que afirman descender. Analicemos, según esto, el escudo propagado por la *Pícara.* Lo que en este escudo ocupa mayor espacio, la orla de ocho cruces y el «león arrimado a un árbol en campo roxo» que se ve a la derecha, se da como blasón de los Ortega [26], el cual, con las armas de los Calderón, «le tocán»

---

[25] *Ibid.*, pág. 354. En la 434 el acta de bautismo de Francisco, 7 de agosto de 1604. El Privilegio de la *Pícara* lleva la fecha de 22 de agosto.

[26] *BSCE,* vol. cit., pág. 293, publica una «ejecutoria de hidalguía» del mercader Francisco Ortega, venido de Avila. El nombre de Calderón no aparece en este documento. A juzgar por los extractos de Martí y Monsó, fue en 1609 cuando por vez primera se identificó abiertamente al abuelo paterno del capitán Calderón con este personaje: Francisco Ortega Calderón, que «vino de Avila». Inútil decir que esta modesta ejecutoria no menciona blasón.

al joven don Francisco. Pero en vano se busca en virtud de qué parentesco. Se supone que esas armas pasaron a la familia por compra de una casa cuya fachada adornaban ya. López de Ubeda se burló insolentemente, en la *Pícara,* de un sastre «originario de Picardía» que, enriquecido, se titula Pimentel y se hace esculpir en la portada de su casa «las venerables veneras de los Pimenteles»[27].

Lo que se da como escudo de los ascendientes directos del capitán Calderón son las «dos calderas en campo dorado» que se ven en el cuartel superior de la izquierda, separadas por una barra. En el cuartel inferior de la izquierda, «las cinco flores de lis en campo azul» vendrían también de los Ortega misteriosamente parientes de la familia. No se ve a qué linaje se pueden asignar, en este blasón jeroglífico, las cinco «fajas ondas»[28] que un exegeta irónico relacionaría con «el mar» del proverbio: «Iglesia, o *mar,* o casa real». El comercio de ultramar centralizado en Amberes tenía algo que ver con la notabilidad de los Aranda. Pero ¿no es significativo que las armas descritas, cuando las pruebas del pequeño Francisco, como pertenecientes a los linajes Aranda y Sandelín («las de los Arandas son un castillo en campo azul con ocho cruces colocadas en campo amarillo por orla, las de los Sandelines son tres gallos en campo rojo») no figuren de ninguna manera en el escudo de Rodrigo Calderón tal como lo enarbola *La Pícara Justina?* A menos que la orla de ocho

---

[27] *La Pícara Justina,* L. I, cap. II, núm. 1. El Pimentel de ocasión da como primera explicación de su audacia «que el cantero las puso». Martí y Monsó *(BSCE,* 1911, V, págs. 82-83) recuerda la adquisición, por el abuelo paterno de Don Rodrigo, de dos casas (en las «Cuatro calles») «que hoy se conservan con el escudo de Calderón y Ortega». ¿No habrían sido compradas con el escudo preexistente? Y ¿no habría constituido éste la primera presunción de nobleza de los propietarios?

[28] «Las Faxas ondas representan sucesos por Mar», dice F. de Elorza y Rada, *Nobiliario del Valle de la Valdorba,* edición de la Sociedad de Bibliófilos Españoles, Madrid, 1958, pág. 272. Un heraldista consultado por Martí y Monsó atribuye ese cuartel a los Vargas, ascendientes de la mujer de Don Rodrigo *(BSCE,* 1910, IV, pág. 278). Ojalá la cuestión vuelva a ser examinada por un hombre versado a la vez en la crítica histórica y en la heráldica, teniendo en cuenta los escudos publicitarios de *La Pícara Justina* y del *Desengaño de Fortuna,* que se dan como el de Don Rodrigo, no de sus hijos, y en el que no se comprendería bien la intromisión de cuarteles pertenecientes a su mujer.

cruces sea bivalente y evoque a la vez el parentesco mítico con los Ortega y la nobleza quimérica de los Aranda...

Las pruebas de Rodrigo Calderón, en 1611, para el «hábito» de Santiago, dejan la misma impresión de nobleza ausente, si no de limpieza dudosa. La ignorancia de los testigos es demasiado absoluta, esta vez, acerca de las relaciones mercantiles o financieras de los Aranda de Amberes. Pero, en fin, se ganó la batalla, y como para publicar el boletín de esta victoria aparece el *Desengaño de Fortuna,* del doctor don Gutierre Marqués de Careaga, en Madrid, en la primavera del año 1612, con un nuevo escudo de don Rodrigo [29]. El drama del ennoblecimiento de Calderón se trasluce en toda la historia de este libro. Este le es dedicado, en una epístola que lo adorna de todas las virtudes, con fecha del 15 de mayo de 1607, es decir, en el momento preciso en que corre el rumor de que nuestro potentado está detenido y va a correr la misma suerte que don Pedro Franqueza. El *Desengaño* se prepara, sin embargo, a hacer su aparición con una guirnalda, más bien pesada, de poesías, a la que contribuyen Juan Ruiz de Alarcón y Diego de Saavedra Fajardo. Marqués de Careaga, en su prefacio al lector, elige curiosamente por tema la envidia, la maledicencia de aquellos cuya lengua «tiene el poder de desenterrar a los muertos y enterrar a los vivos». En 1609 parece que el *Desengaño* ha cumplido todas las formalidades para aparecer. ¿Por qué se retrasa su publicación? Se diría que espera la consagración de los inmortales méritos de don Rodrigo mediante un título de Conde de Oliva, que había quedado en suspenso. El autor y varios poetas trenzan en honor del mecenas una corona de «olivo», por una coincidencia en la adulación de la que apenas bastaría a dar cuenta el nombre de una ínfima «señoría» comprada y que no es la única de que se engríe don Rodrigo. En fin, como cansada de esperar, la edición de 1611 ve la luz

---

[29] C. Pérez Pastor, *Bibliografía Madrileña,* II, pág. 231, describe detalladamente la edición de Madrid, 1612 (que está en la Bibl. Nat. de París), como «primera edición». Palau, *Manual,* t. VIII, pág. 221, núm. 152.578, señala una de Barcelona de 1611 como existente en la Bibl. Univ. de «Friburgo». Se trata de Friburgo de Brisgovia. El doctor Landwehrmeyer, bibliotecario de esta Universidad, tuvo la amabilidad de enviarme un microfilm de la portada y preliminares de esta edición *princeps.*

DESENGAÑO DE FORTVNA.

POR EL DOCTOR DON GVTIERRE Marques de Careaga, natural de la ciudad, de Almeria, Tiniente de Corregidor, Por el Rey nueſtro Señor, de la villa de Madrid, Corte de ſu Mageſtad.

A DON RODRIGO CALDERON, Cauallero de la Orden de Santiago, Comendador de Ocaña, Señor de las villas de la Oliua, Plaſençuela, Siete Yglesias, Rueda, y Sofragua: Alguazil mayor perpetuo de la Real Chancilleria de Valladolid: Embaxador de Flandes, por el Rey nueſtro Señor Don Felipe III. deſte nombre.

Año 1612.

CON PRIVILEGIO.

EN MADRID, *Por Alonſo Martin.*
Vendeſe en caſa de Alonſo Perez mercader de libros.

La segunda edición del *Desengaño de Fortuna,* con el nuevo escudo de don Rodrigo Calderón en Barcelona, adornado su frontispicio con un simple emblema moral concebido sin duda por Marqués de Careaga para su protector: una salamandra rodeada de llamas, con la divisa *Virtuti sic cedit invidia.* Como si la palma de esta victoria sobre la envidia vacilase entre la Virtud y la Verdad, la enumeración de las «señorías» todavía modesta de Rodrigo va seguida, en esta misma portada, de *Veritati sic cedit invidia.*

En fin, después de las «pruebas» de diciembre de 1611, el *Desengaño* tiene una segunda edición en Madrid, en la primavera de 1612, para glorificar la flamante encomienda otorgada a Calderón. La epístola dedicatoria se rejuvenece cambiando su fecha de 1607 por la de 4 de febrero de 1612, y el obsequiado no es ya «merced», sino «Señoría». El libro aparece ofrecido, desde la portada, «a Don Rodrigo Calderón, Comendador de Ocaña, Señor de las villas de la Oliva, Plasençuela, Siete Iglesias, Rueda y Sofragua, Alguacil mayor perpetuo de la Real Chancillería de Valladolid, Embajador de Flandes por el Rey Nuestro Señor Don Felipe III deste nombre». Las tres señorías nuevas añadidas a las dos antiguas son sin duda adquisiciones de igual naturaleza. Pero queda ahora abierto el camino para que la Oliva se convierta en título de conde, como Siete Iglesias se convertirá un poco más tarde en título de marqués. A un comendador de Santiago todo se le hace más fácil. Nada tiene, pues, de extraño que el blasón de don Rodrigo se apoye ahora con orgullo sobre la cruz de Santiago. Y lo rodea, por abajo, la divisa *Veritati cedit invidia,* curiosamente afectada por la inversión de las letras y por una errata *(viritati);* pero ahora es grito de triunfo y no ya simple esperanza.

Lo más sorprendente, en este nuevo escudo, es que, sin que la «nobleza» hereditaria de Rodrigo haya cambiado, cambia su representación heráldica. La orla general cedió el sitio a la cruz de Santiago. El león no tiene ya derecho más que al cuartel inferior de la derecha, y las flores de lis han desaparecido. Las «fajas ondas» se han apoderado del cuartel superior de la izquierda, y las «calderas» han proliferado como para sugerirnos que esta pieza, reservada en otros tiempos a los blasones de los «ricos hombres» como símbolo del servicio de su «mesnada» al rey, puede en adelante proporcionar «armas parlantes» a «Calderones» dueños de la «situación». Hay dos calderas en el cuartel superior de la derecha, sin barra ahora, y cinco en el cuartel inferior de la izquierda, en una orla de ocho cruces. A través de esta metamorfosis y de esta danza de piezas «jeroglíficas» se buscan siempre en vano los «tres gallos» de los Sandelines, mencionados, sin embargo, todavía con insistencia, por los testigos de noviembre de 1611 como indicio de la «nobleza» de la abuela materna. Mas ¿para qué? El «apellido» Sandelín puede hacerse olvidar, ahora que se ha vencido el obstáculo Aranda y Sandelín y se ha franqueado la puerta de la Orden de Santiago.

Nos gustaría saber si Lope de Vega comentó este acontecimiento en una de sus inimitables cartas familiares a su señor el duque de Sessa. Nos imaginamos el tono. Cuando está uno personalmente atormentado por un prurito de hidalguía y se escribe a un aristócrata «gran señor desde Adán», ¡qué delicia zaherir a los advenedizos! ¿Se había anunciado prematuramente el condado y el marquesado de Rodrigo, al mismo tiempo que un probable virreinato, cuando Lope de Vega, en 30 de abril de 1610, se divierte con la idea de esta estupenda chanza como son «dos títulos por témporas»? «Y más— continúa Lope— quando considero algunos que tienen reberencias de señoría para ordenarse, más por el beneficio de sus bolsas que por el beneficio de sus cassas; no se le dé nada a V. Ex.ª que el Señor grande puede hazer (como deçía una muger que conoçí) los menudos, pero no dar la sangre, y assí vemos que lo más ocupa la cebolla y anda la villa a buelta del olor de las especias: ¡qué cruel comparación!» [30]. ¡La sangre...! ¿No era ésta también la obsesión de Rodrigo? Cuando en 1612 vuelve de su embajada a Fontainebleau y Bruselas, cargado de honores y regalos —¡Amberes dio a su hijo pródigo la «Adoración de los Magos» pintada por Rubens para su Ayuntamiento!—, el conde de la Oliva se hace preceder de un rumor escandaloso. Informes recogidos por él en Flandes le darían por ¡hijo natural del duque de Alba don Fadrique! [31]. ¡Hasta la bastardía es buena para insertarse

[30] *Epistolario de Lope de Vega,* ed. de A. G. de Amezúa, t. III, Madrid, 1941, págs. 18-19.

[31] *Ibid.,* pág. 114, y CABRERA DE CÓRDOBA, *op. cit.,* pág. 497 (20 de septiembre de 1612). Sobre el Rubens, comprado por Felipe IV y conservado

en las familias casi reales! Rodrigo pertenecía al ilustre linaje más directamente que el duque de entonces, que era sólo sobrino de don Fadrique. ¿Para qué, entonces, el león de los Ortega y las «calderas» de los Calderón?

El condado de la Oliva había sido creado para dar lustre al embajador de Su Majestad Católica: un poco más tarde vendrá el marquesado de Siete Iglesias. Dos títulos localizados en humildes villas, ¡sobre las que flota un olor amberés de especia! Vale la pena evocar, aunque no fuera más que por oír su eco burlón en Lope, la última orquestación literaria de la ascensión de don Rodrigo. Cosa curiosa fue la obra de Pedro Mantuano, celebrado en el *Viaje del Parnaso* por tener un buen mecenas [32]: ¡Imaginaos! ¡El propio condestable de Castilla! Pero por razones que desconocemos (¿habría muerto don Juan Fernández de Velasco?), Mantuano, en 1618, no se titula ya secretario del condestable, y vincula su fortuna a los Calderón, dedicando la relación de los *Casamientos de España y Francia* y del viaje del duque de Lerma a Behovia no a don Rodrigo mismo, sino al heredero de la casa, el joven don Francisco, «conde de la Oliva, Menino del Príncipe nuestro Señor, Cauallero de la Orden de Alcántara, hijo primogénito y heredero del Marqués de Siete Yglesias, Capitán de la guarda Alemana» [33]. Este pequeño cortesano de catorce años había tenido la mala suerte de caer enfermo al comienzo del viaje de intercambio de princesas, un desplazamiento, sin precedente por su fasto, de toda la corte de España. Mantuano tenía sin duda que resarcir al menino del príncipe con una relación detallada. ¡Buena ocasión, sobre todo, de proclamar *urbi et orbi* la gloria del marqués de Siete Iglesias y de su casa! Mantuano publica íntegramente la ejecutoria del nuevo título, en la que se exaltan los servicios hechos a la Corona por valiosos ascendientes del marqués, que hubieran sido todavía más valiosos en 1604 de haberse conocido sus méritos. Pero ahora viene lo mejor: Pedro Mantuano («el excelente», como lo califica Cervan-

---

en el Prado, cf. *Museo del Prado, Catálogo de los Cuadros,* Madrid, 1949, págs. 532-533.

[32] *Viaje,* ed. cit., pág. 63, cap. IV, vs. 427-428: «... que tiene el gran Velasco por Mecenas / y ha sido acertadísimo su empleo».

[33] PÉREZ PASTOR, *Bibliografía Madrileña,* t. II, págs. 455-456.

tes)[34] afirma su estupor de que el diploma del marquesado no diga nada acerca de los brillantes servicios prestados en los Países Bajos por los Sandelines: don Artús Sandelín, el propio hermano de la abuela de Rodrigo, siendo burgomaestre de Amsterdam cuando la rebelión de las provincias holandesas, ¿no había venido a refugiarse a Amberes para afirmar su lealtad? Es esto lo que desata la carcajada de Lope y su bufonada: «... ¡lo de Artús Sandalón, burgomaestre de Santerdam, agüelo de Siete Iglesias!»[35]. ¡Otra gloria celebrada demasiado tarde! ¿Por qué no se la invocó en 1604, cuando se trataba de hacer el nombre de Sandelín prestigioso a los ojos de los «cofrades» del Hospital de Nuestra Señora de Esgueva, y de los lectores de *La Pícara Justina?* ¿O incluso en 1611, cuando el honor más seguro de Rodrigo, por parte materna, era el «hábito» de Santiago recientemente otorgado a su tío el maestre de campo don Juan de Aranda y Sandelín...?

* * *

«Dineros son calidad»... «Poderoso caballero es Don Dinero»[36]. Sobre todo, cuando Don Dinero es hijo de Doña Privanza. Se ve que no era inútil recorrer a vuelo de pájaro la más sabrosa historia de ennoblecimiento de esta época en que los poetas se burlan de la degradación de los honores. Se encontrará más natural, después de esto, que preguntemos a la edición blasonada de *La Pícara Justina,* rigurosamente contemporánea de la edición princeps del *Quijote,* por la clave de los consejos enigmáticos de Urganda.

«No indiscretos hieroglí- / estampes en el escu-»... Aun suponiendo que el autor de las décimas no apuntase al libro rival, ¿no era fatal que este dardo *pareciese* apuntar a la *Pícara* puesta al servicio del ambicioso aquejado de ennoblecimiento? Podemos creer que esta interpretación fue la de Cervantes mismo y de sus amigos, y también la de Lope,

---

[34] *Viaje,* ed. cit., pág. 95, cap. VII, v. 307.

[35] *Epistolario,* ed. cit., t. IV, pág. 18.

[36] Con estos conocidos versos de Góngora y Quevedo se puede comparar la fórmula de *La Pícara Justina,* L. I, cap. II, núm. 1: «... no hay sino dos linajes: el uno se llama tener, y el otro no tener».

que apreciaba tan poco a don Quijote como a don Rodrigo. Vamos a ver que es atinado excluir de la cuestión ciertos «jeroglíficos» lopescos.

En el «contrario bando» todo pasa como si el éxito rápidamente triunfal de *Don Quijote,* la pronta difusión de las décimas que todavía no se habían hecho oscuras, hubieran incitado a mayor reserva. Por ello, quizá, aun cuando la aplicación de estos versos al escudo de don Rodrigo no salió de los círculos de gentes de letras y cortesanos, se creyó prudente eliminar el escudo de la edición barcelonesa de la *Pícara* y no mantener en ella más que el elogio de los diversos linajes de Calderón por López de Ubeda.

Sólo aludiremos de pasada a la suerte que corrieron las décimas en las esotéricas explicaciones de Nicolás Díaz Benjumea, descubridor de un Cervantes profeta del espíritu moderno. El error es harto perdonable. Era natural que no se comprendiera ya nada de estos versos hasta que la vida literaria y la bibliografía del siglo de oro se conocieran de manera menos incompleta. Los estudios lopescos hicieron mayores progresos, en los cien años últimos, que los estudios sobre la novela picaresca y el «romancero nuevo». Si los cervantistas no pensaron en el escudo de don Rodrigo cuando Puyol reeditó la *Pícara,* de Medina del Campo, fue porque el escudo redescubierto siguió en ella como un detalle inexplicado, y porque los documentos publicados por Martí y Monsó permanecieron después de su publicación casi tan inéditos como antes de ella. Y, sobre todo, porque la explicación de las décimas por la enemistad literaria de Cervantes y Lope tenía ocupado ya el terreno. Sin ser de despreciar para la exégesis del *Quijote* en general, esa explicación no es, aquí, muy convincente. ¿Contra qué jeroglíficos lopescos podrían ir asestadas las décimas? Se habla siempre de las «diez y nueve torres» de su escudo, que con aviesa intención le recordó a Lope un satírico (parece fuera de duda que fue Góngora) por el placer de hacer un juego de palabras con «torres» y «torreznos». Ahora bien, en nuestras décimas se trata no del escudo de un hombre, sino del «escudo» de un libro, en el sentido de los bibliógrafos: los libros decoran entonces su *frontispicio* ya con el emblema de un impresor o de una orden religiosa a que pertenece el autor, ya con las armas del rey o de un señor (generalmente, de un gran señor) al que el libro está dedicado. No había sido éste el empleo del blasón de las diecinueve torres. Simple «pendentif» de un retrato de Lope que se adorna, en la parte superior, con una calavera laureada con divisa moral, había sido ingenuamente prodigado *en el interior* del volumen de *La hermosura de Angélica* (Madrid, 1602), seguida de las *Rimas*. Alternando con las armas del mecenas, había tenido en su cotejo de versos laudatorios un soneto del propio Cervantes [37]. Lope de Vega había tenido buen cuidado de desinflar él mismo toda apariencia de pretensión nobiliaria que el hecho pudiera entrañar, dejándole el blasón a Bernardo del Carpio y no reivindicando para sí más que sus infortunios: «El blasón es de Bernardo, las desdichas mías son» [38]. Jeroglífico tan inocente como el de Gabriel Lasso de la Vega haciendo grabar bajo su retrato un escudo en blanco con el *Ave María* de su ilustre homónimo del romancero granadino en la orla [39].

Y además, si Cervantes y Lope se observaban y criticaban a distancia en este año de 1604, el dramaturgo vivía alejado de la Corte de Valladolid, entregado por entero a sus amores con el teatro y con Micaela Luján. Al abandonar Sevilla, se instaló en Toledo. Aun cuando acogiera aquí con desdén los elogios que los académicos de Argamasilla —alias Valladolid— prodigaban a *Don Quijote,* todavía en prensa, era poco digno de un Cervantes introducir en el libro del día

---

[37] PÉREZ PASTOR, *Bibliografía Madrileña,* t. II, págs. 31-34, con facsímil del retrato y explicación de su divisa.

[38] Según parece, esta divisa aparece con el frontispicio de la reimpresión de la *Arcadia* de Madrid, 1603 (PÉREZ PASTOR, *op. cit.,* pág. 51). Aquí, es en la portada donde figuran, en lo alto de la orla, las armas y divisa del Duque de Osuna, y, en la parte inferior, el blasón de las diecinueve torres con su modesta divisa. Una portada semejante (*Arcadia* de Madrid, 1611) es reproducida por MOREL-FATIO («Les origines de Lope de Vega», en *Bull. Hisp.,* t. VII, 1905, pág. 49). Este estudio no trata a fondo el problema, que tampoco nosotros hacemos más que rozar.

[39] Grabado en el interior de *Primera parte de Cortés Valeroso y Mexicana,* Madrid, 1588, reproducido en la reimpresión del *Manojuelo de Romances* de Zaragoza, 1601, hecha por Eug. Mele y A. González Palencia, ed. Saeta, Madrid, 1942. La portada del *Manojuelo* (ibid., pág. 1) no tiene retrato, pero sí escudo.

una máquina de guerra contra las publicaciones lopescas de la víspera o la antevíspera, a las que había dado su aplauso.

En el verano de 1604, *La Pícara Justina,* muy ansiosa de ir a complacer a los grandes y alegrar la calle, tomaba la delantera sobre *El ingenioso hidalgo.* Tal provocación estaba pidiendo la réplica de Don Quijote y sus amigos. Para atenernos primero al escudo y sus jeroglíficos, que desde hace tanto tiempo vienen acaparando la atención, el ataque no carecía de atrevimiento, pese a su ambigüedad mixtificadora. Una sibila daba a entender, en versos de doble sentido, que el autor del libro blasonado, y quizá también el propietario de las armas, jugaban una partida que tenían perdida de antemano. «Cuando todo es figura» sugería esto con el alcance general que el lenguaje de moda había dado a una expresión del juego de *la primera.* «Estar a figura» o «estar a primera» [40], era estar en mala o en buena postura (Justina dice, con un diminutivo picaresco: «Mire... a qué figurilla se habían puesto») [41]. Pero al mismo tiempo, «todo es figura» sonaba como «todo es portada» [42], y sugería que los jeroglíficos del blasón eran pura fachada, apariencia vacía de realidad.

De otro lado, para los lectores ávidos de novedad que leían *La Pícara Justina* en 1605, ésta era, por excelencia, el libro de los «jeroglíficos». Si el término estaba entonces de moda entre los humanistas para designar toda clase de emblemas —los del blasón como los otros—, López de Ubeda abusaba de la palabra y de la cosa. Una y otra se repetían en él hasta la saciedad, hasta tal punto que bastaba una alusión maliciosa a «jeroglíficos» para hacer pensar en la *Pícara* por asociación de ideas.

Una sugerencia en el mismo sentido nacía de la forma graciosa y original de los versos de Urganda: son décimas de versos truncados. Si se le atribuyen con verosimilitud los primeros modelos de esta versificación aplebeyada al poeta rufián de Sevilla Alonso Alvarez de Soria, su primera irrupción en los libros parece fuera de duda que se le debe a

[40] *Don Quijote,* ed. cit., t. I, pág. 48; G. CORREAS, *Vocabulario de Refranes,* 2.ª ed., Madrid, 1924, pág. 579; COVARRUBIAS, *Tesoro,* s. v. *figura.*

[41] *La Pícara Justina,* L. I, cap. I, núm. 2.

[42] G. CORREAS, *Vocabulario,* ed. cit., pág. 481.

López de Ubeda[43]. El «arte poética» que la *La Pícara Justina* pretende ofrecer a sus lectores, variando la forma de los argumentos versificados de sus «números», no contiene menos de ocho aplicaciones del procedimiento a estrofas diversas (octavas, redondillas, tercetos, sextillas, séptimas, seguidillas). López de Ubeda no había practicado la «décima de pies cortados» ni en general la «décima», forma lírica no degradada todavía. Era una malicia más la de elegirla para devolverle su cortesía al rimador burlesco que había nombrado a «Don Quixo- y Lazari» en sextillas de versos doble o triplemente amputados[44]. Hay que admitir que López de Ubeda conocía en general el *Quijote* y sin duda su novela del *Cautivo* antes de la impresión (se puede relacionar con esta novela intercalada una alusión del libro III, iii, I, 1: «Los pícaros no admiten cuento que sea de menos estofa que la toma de la Goleta». Recíprocamente Cervantes o uno de sus amigos debieron de tener conocimiento de la *Pícara* en pruebas, en la época en que ésta quemaba las etapas legales para aparecer más pronto.

En el ambiente de la aparición y en torno al problema de las composiciones liminares es donde sin duda nos sitúan las décimas. Urganda felicita a *Don Quijote* por ir, sin impaciencia, hacia los buenos y no hacia los idiotas: éstos tratan en vano de fingir que se relamen por adelantado con los nuevos libros ofrecidos a las gentes de ingenio *(si bien se comen las ma-* podría aludir a la mención aparentemente honrosa de *Don Quixo-* en la *Pícara);* son incapaces de penetrar sus finezas.

Urganda lo felicita además por haber elegido un noble protector al que va a ofrecer un presente apropiado a su calidad: la historia de este hidalgo enamorado, cuya locura es caballeresca, se mantiene en armonía con el ilustre precedente de Ariosto. El duque de Béjar es un miembroe de esta grandeza española que entronca con los reyes. No es preciso, para merecer su protección, enarbolar sus conocidísimos blasones (a diferencia de la *Pícara,* que tiene que tomar por

---

[43] Cf. F. Rodríguez Marín, *El Loaysa de «El celoso extremeño»,* Sevilla, 1901, págs. 165-168.

[44] *La Pícara Justina,* L. II, Tercera Parte, cap. IV, núm. 3 (al principio).

escudo las armas jeroglíficas de un ambicioso en curso de ennoblecimiento).

Inmediatamente después del escudo del frontiscipio, Urganda piensa en la *dirección,* en las epístolas dedicatorias y otros prefacios dirigidos al público. Se diría que es incluso capaz de apreciar el contraste entre el prólogo irónicamente humilde de *Don Quijote* y la ambición pregonada por López de Ubeda. El *Prólogo* de éste fustiga las «comedias y libros profanos tan inútiles como lascivos»; siguiendo un arte cuyo secreto tienen los médicos («de un simple venenoso hacemos medicamento útil»), pretende neutralizar las «ordinarias vanidades» de una mujer emancipada demasiado pronto, por medio de moralidades que introducen «al tono de las fábulas de Esopo y jeroglíficos de Agatón, consejos y advertencias útiles».

Más aún. Urganda, cuyo lenguaje no ignora ni la germanía ni las trivialidades de moda, parece haber leído el cap. I de la *Pícara,* en el que el autor mismo muestra a su heroína interrumpiendo su autobiografía desde las primeras palabras y obligada a replicar al desafío de un «fisgón», de un «matraquista semiastrólogo». Este personaje parece una caricatura del Quevedo bohemio de entonces [45], del estudiante «cojo y barbirrojo» que escandalizaba a Valladolid. E inflige a Justina una especie de *vejamen* anticipado, de estilo académico-picaresco, uno de cuyos movimientos está construido sobre el modelo de una insolente glosa que Urganda conoce: la «fisga» de fray Domingo de Guzmán contra fray Luis de León, en competencia con él por una cátedra de Salamanca:

> *¡Qué don Alvaro de Luna,*
> *qué Anibal Cartaginés,*
> *qué Francisco, rey francés,*
> *se quexa de la Fortuna*
> *porque le ha echado a sus pies!* [46]

---

[45] En otra ocasión demostraremos esta identificación, que apoya el retrato del licenciado Francisco Gómez de Cevallos o Zeballos, por PINHEIRO DA VEIGA (*Fastiginia,* ed. cit., pág. 311; pág. 183 de la traducción de Narciso Alonso Cortés, Valladolid, 1916).

[46] *Don Quijote,* ed. cit., t. I, pág. 49. El prototipo en quien pensaba Urganda, identificado desde hace mucho tiempo por los comentaristas del

Así se había guaseado un teólogo de la estrofa en la que el escriturario-poeta había recordado su injusto encarcelamiento. Imitando esta evocación de los más ilustres reveses de fortuna, el «fisgón» Perlícaro comparaba burlonamente con Justina a los autores o narradores que han contado su propia historia: «¡Qué madre Teresa...! ¡Qué Eneas...! ¡Qué César...! ¡Qué Esdras...! ¡Qué Moysés...! [47]. No es éste el lugar para comentar estas páginas de la *Pícara.* Hagamos únicamente constar que Urganda, al volver a encontrar el prototipo de este *vejamen,* no lo recuerda más que para profetizar al «libro de Don Quijote» que él al menos, gracias a su modestia y su buen protector, no se expondrá a semejante «fisga» de algún «mofante» en acecho.

Y ¿no es otra vez en la *Pícara* y en su agresor —matraquista semiastrólogo con aires de rufián— en quien piensa Urganda cuando aconseja a *Don Quijote* que no presuma de cultura latina o de saber filosófico, para evitar que un insolente venga a decirle en sus propias barbas («no un palmo de las orejas») y «torciendo la boca»: «¿Para qué conmigo flores?» Este pícaro «que entiende la leva» es hermano, por su boca torcida y su lenguaje germanesco, de Perlícaro que mira «a medio mogate». La *Pícara,* ella también, hace alarde de cultura humanística, un poco a salto de mata, es cierto, y bebida en «autores romancistas» [48]; pero no hace falta más para que su perseguidor fustigue con su irrisión a «la humanista», después de haberle pedido, con una cortesía de «jaque», el permiso para «llegar otro palmito». Y ¿quién sabe si Urganda, amiga de la ambigüedad oracular, no evoca, al abrigo de una trivialidad venida de la jerga, las «flores» que el licenciado López de Ubeda ofrece, en su epístola dedictoria, a don Rodrigo Calderón para que esta «preciosa abeja» las transforme en miel?

La sabia Urganda aconseja al sensato «libro de Don Quijote» que no se meta donde no le llaman. Le advierte que

---

Quijote, estaba también presente en la mente de Gabriel Lasso de la Vega, en su romance «Arrimar quiero las coplas» (*Manojuelo,* ed. cit., pág. 243: «Mirad qué sceptro de Henrico... / Ved qué Alexandro triunfante / o qué conquista de Egipto, / o qué mudar las columnas / desde Gibraltar al Chino»).

[47] *La Pícara Justina,* L. I, cap. I, núm. 1.

[48] *Ibid.,* Prólogo, Sumario.

«los que gracejan» (los «chocarreros»), si se arrogan la misma libertad de palabra que el bufón palaciego, se exponen como él a los malos tratos o las represalias [49]. En ésta y en la siguiente décima, en la que se recuerda el proverbio «Quien tiene el tejado de vidrio no tire piedras al vecino», *La Pícara Justina* parece que es todavía para Urganda el ejemplo que no se debe imitar, por practicar su autor la alusión personal y tratar ciertos capítulos con la voluntad de dar a conocer detrás de sus caricaturas los modelos vivientes: tal Perlícaro-Quevedo. Es éste también, sin duda, el caso del licenciado Marcos Méndez Pavón y de su pariente el «fullero hijo de clérigo» [50], cuyos prototipos están por determinar. Quizá también Urganda insinúa que el licenciado López de Ubeda hace mal en bromear con una insistencia feroz sobre el tema de la impureza de sangre; corre peligro de atraer de rebote sobre sí mismo la sospecha lanzada fácilmente sobre los ascendientes de un médico cuyo apellido evoca una una villa andaluza donde tantos cristianos nuevos han venido arraigando [51]; y ¿quién sabe?, ¿no se expone a hacer que caigan piedras semejantes sobre el tejado de vidrio de su protector? En fin, no puede negarse, frente al *Quijote,* libro decente, prudente, juicioso, preocupado por su buen nombre, *La Pícara Justina* surge como un libro escandaloso, cuyas necedades están escritas con una extravagancia consciente. Cuando, con un equívoco trivial sobre «*escribir a tontas y a locas*», Urganda caracteriza el modelo que no se ha de imitar como literatura «para entretener doncellas», alude en dos palabras, pero con un lenguaje casi diáfano, al *Libro de entretenimiento de la Pícara Justina* (título de la edición princeps de Medina del Campo) y a la pretensión de su autor de «que en este libro hallará la doncella el conocimiento de su perdición...» *(Prólogo).*

[49] Las palabras de Urganda: «que suelen en caperu- / darles a los que grace-», encuentran su comentario apropiado en COVARRUBIAS, *Tesoro,* s. v. *truhán,* y en un contratiempo del truhán Alcocer (CABRERA DE CÓRDOBA, *op. cit.,* pág. 257).

[50] *La Pícara Justina,* L. II, Segunda Parte, cap. I, núm. 2, y los caps. II y III enteros.

[51] Sobre la gran persecución de los «cristianos nuevos» en Ubeda en 1549, véase M. BATAILLON, «Jean d'Avila retrouvé», en *Bull. Hisp.,* 1955, t. LVII, pág. 11.

Repitámoslo, quizá para sustraerse a las burlas de Urganda cambia su título el libro de López de Ubeda en Barcelona (1605), por el de *La Pícara Montañesa llamada Justina,* y se aligera del ambicioso Prólogo, al mismo tiempo que renuncia al escudo de Rodrigo Calderón.

* * *

¿Queremos probar demasiado? Dejemos ahora a nuestros lectores el placer de criticar la demostración o de completarla. Con todo, algunas observaciones todavía, para animarlos a la investigación. En este terreno, tan descuidado por los curiosos, está casi todo por descubrir o redescubrir.

La epístola dedicatoria a Rodrigo Calderón ocupa exactamente una página de la edición princeps de *La Pícara.* Pudo, pues, ser añadida muy tarde, sin cambiar la paginación, cuando la impresión estaba ya casi acabada (y las múltiples paginaciones de esta edición, señaladas ya por Puyol, requieren una explicación). No está excluido que López de Ubeda haya buscado solamente entonces la protección del favorito del favorito, y es incluso una hipótesis tanto más plausible cuanto que, hacia el final de la *Introducción* consagrada a «La Melindrosa escribana», la heroína recomendaba su libro a la benevolencia particular de «un Pérez de Guzmán el Bueno». Esta alusión, que Mayans explicaba muy ingeniosamente como firma disfrazada de un Pérez hijo de Santo Domingo de Guzmán (en otras palabras, dominico) tiene todo el aspecto de un homenaje a la familia ducal de Medina Sidonia. Si se quisiera tener algunas probabilidades de volver a encontrar las huellas del licenciado López de Ubeda, «capellán lego» entre los grandes, sería preciso dirigir las investigaciones tanto hacia este lado como al de Rodrigo Calderón. E incluso, en vista de las alusiones de Justina «al Almirante mi Señor», podría resultar fructuoso también buscar por el lado del palacio del duque de Medina de Rioseco, muerto en Valladolid el 17 de agosto de 1600, uno de cuyos hijos, de cinco años, recogió entonces el título [52].

---

[52] CABRERA DE CÓRDOBA, *op. cit.,* pág. 79. Se trata incluso de darle el título de almirante.

Osemos afirmar también, aun a riesgo de escandalizar, que nada prueba que las décimas de Urganda sean de la pluma de Cervantes. Este consagró, en su *Prólogo,* un desarrollo de una extensión inusitada al problema de las poesías liminares. Con sostenida ironía encara sucesivamente dos soluciones: pedir estas composiciones «a dos o tres oficiales amigos», o redactarlas él mismo con nombres fingidos. Como esta solución es presentada en segundo lugar y como las apariencias parecen dar a entender que Cervantes se atuvo a ella, no se ha suscitado nunca la cuestión de saber si había recibido ayuda para esa mixtificación. Sin embargo, las poesías finales de esta *Primera Parte,* a las que, a decir verdad, no se refiere el *Prólogo,* sugieren la idea de una mixtificación colectiva procedente de un cenáculo quijotizante de Valladolid, disfrazado de «Academia de Argamasilla». Incluso puede uno preguntarse si uno de estos miembros no está nombrado, de manera casi trasparente, al frente de dos poesías liminares, y si «El donoso poeta entreverado» no será Gabriel Lasso de la Vega, autor del *Manojuelo de romances* (1601). Esta colección no sólo presenta una notable alternancia de romances sentimentales o pseudotradicionales con «juguetes» burlescos, sino que su *Prólogo al lector* subraya el procedimiento con una comparación:

en mezclar veras y burlas
juntando gordo con magro,

que es una descripción del «tocino entreverado». ¿Sería Lasso de la Vega el que compuso las *décimas* puestas en boca de Sancho y Rocinante, y que son ellas también décimas de octosílabos «de pies cortados»? Si se observa de otro lado que las décimas de Urganda se prestan a varias aproximaciones estilísticas con las composiciones burlescas del *Manojuelo* (núm. 64: «¿Quién me mete a mí en dibuxos / ni en saber vida de naide...»; núm. 90: «Arrimar quiero las coplas»), se considerará quizá prudente no excluir la posibilidad de que un amigo conocedor del oficio, ya Lasso de la Vega, ya cualquier otro «oficial amigo» que trabajaba con el mismo numen que el «donoso poeta entreverado», haya compuesto las décimas prestadas sin más firma a «Urganda la

Desconocida». Buscando una hipótesis de trabajo, se podría pensar en Pedro de Medina Medinilla, si es que es él el que designa Cervantes como la segunda víctima de la aparición de *La Pícara.* La *muela* que pierde en esta escaramuza, ¿no podría ser un empleo en monopolio de la reexportación a las Indias de las muelas de molino y piedras de barbero, una de las fuentes de la escandalosa fortuna de Calderón? [53]. Si las décimas de Urganda corrían peligro de irritar a Rodrigo Calderón, era más imperiosa para el valiente Cervantes la obligación de asumir la responsabilidad de la burla al menos mediante declaraciones ambiguas. Pensemos que nos hallamos en plena mixtificación. ¡Ojalá la firma de Urganda la Desconocida —que suena a los franceses como «ni vu ni connu»—[54] estimule la imaginación de los sabios a trabajar

[53] Este detalle viene de la relación bien informada de Jerónimo GASCÓN DE TORQUEMADA, *Nacimiento, vida, prisión y muerte de D. Rodrigo Calderón,* opúsculo que merecía una edición crítica que tuviera en cuenta a la vez la edición de Valladares (Madrid, 1789) y los manuscritos del siglo XVII. Tres manuscritos que miss Cl. L. Penney tuvo la amabilidad de consultar para mí en la Hispanic Society of America permiten precisar que este monopolio, que valía a Rodrigo «muchos ducados», recaía sobre la expedición a las Indias Orientales de las «piedras de tahona» y «piedras de barberos» «que vienen de fuera» (cf. en el *Tesoro,* de COVARRUBIAS, «Muela de barbero, con la que se amuelan las herramientas»). Es natural que un hombre de dinero como Rodrigo Calderón haya pensado en monopolizar la reexportación de un artículo de importación bastante conocido para provocar los juegos de palabras de Quevedo en *La hora de todos.* Si no se trata más que de las Indias Orientales, es sin duda porque, en lo que se refiere a América, este monopolio había sido otorgado ya a algún otro personaje. Si hay que suponer doble sentido, en el *Viaje del Parnaso,* al «brazo» de Tomás Gracián y a la «muela» de Medinilla, sin duda habrá que buscarle también uno al «muslo» de este último. Observemos, por si acaso, que se encuentra la palabra, en plural, con la acepción de calzón corto (ZÁRATE, *Historia del Perú,* BAE, t. XXVI, pág. 515 *a.* Empleo atestiguado en portugués por el diccionario de Moraes).

[54] Una palabra más acerca de Urganda y Justina. La pícara hace una alusión muy prosaica a la sabia Urganda (L. II, P. II, cap. IV, núm. 2: «Del asno perdido»): las asnas son más fáciles de robar que de encontrar otra vez, pues son todas idénticas, «y cuando sea alguna la diferencia..., se desconocen más que Urganda la desconocida». López de Ubeda pudo sugerir de otra manera a Cervantes y sus amigos que eligieran a Urganda para replicarle. Pensemos en la forma que reviste el desafío de la pícara en las sextillas en que nombra a *Don Quijote,* todavía en prensa; si lo nombra en compañía de Lazarillo, de Guzmán y la Celestina, es para declararse «más famosa» que todos ellos. Y ello sin nombrarse de otra forma que no sea mediante una perífrasis

para comprender! Esa imaginación hace ya demasiado tiempo que no se fatiga sobre *La Pícara Justina.* Sírvanos ello de excusa si, para despertar a los adormilados, ponemos sobre el tapete cuestiones que habían dejado de llamarnos la atención, incluso en Cervantes.

(«Soy la reina de Picardía...»). Como los golfillos enmascarados del Carnaval que provocan a los transeúntes, la pícara parece decir: «¡A que no me conoces!»... «Si preguntas quién lo ha hecho... Si no me conoces luego...»; la explicación del enigma constituye otra adivinanza: «Yo soy Duero, que todas las aguas bebo.» ¿Qué quiere decir, pues, este refrán que sirve de estribillo a las dos estrofas? Basta leer en CORREAS *(Vocabulario de refranes,* ed. cit., pág. 516 *b)* sus formas completas con sus irónicas restricciones («si no es a Guadiana... y a Ebro... y a Guadalquivir...») para comprender que este río, que bebe todas las aguas..., excepto las que van a otra parte, es una jactancia que se ríe de sí misma y de otros. En esto reside todo el sabor picante de estos versos mediocres. Pero, precisamente, el giro enigmático con que se presentan podía provocar a responderles dando la palabra a la sabia «ni vista ni conocida».

P. S.—Estando ya en prensa el presente trabajo, el autor tuvo conocimiento del opúsculo de Jaime OLIVER ASÍN, *El «Quijote» de 1604* (Madrid, 1948), en que se reasume con argumentos convincentes la hipótesis de una primera edición del *Quijote* hoy día perdida, que se remontaría a 1604. Así se explicarían mucho mejor: 1.°) las alusiones de López de Ubeda, en 1604, al *Quijote* ya impreso; 2.°) una réplica a *La Pícara Justina,* contenida en las composiciones liminares del *Quijote* reimpreso en 1605.

4

EL PROTECTOR DE *LA PICARA*: DON RODRIGO CALDERON, ANTUERPIENSE

Me habéis conferido un gran honor al llamarme para ingresar en vuestra Compañía y también me procuráis un gran placer al permitirme la esperanza de una más íntima, y seguramente más fructífera, cooperación con mis colegas de Bélgica. Que me sirva ante ellos de excusa el que esta comunicación, aunque no les descubra nada inédito, aparezca como una llamada hecha a su curiosidad y a su sagacidad.

Don Rodrigo Calderón es uno de los personajes más célebres de la historia de España de la época de Cervantes y de Lope de Vega. Paje del Marqués de Denia desde el momento de la subida al trono de Felipe III, va a convertirse pronto en el brazo derecho de su amo en tanto éste, ahora ya Duque de Lerma, asuma la realidad del poder absoluto de España.

Don Rodrigo asciende primero a Comendador de Ocaña y luego a Conde de la Oliva y Marqués de Siete Iglesias. Su privanza acaba cuando la camarilla que gobierna se hunde al cabo de veinte años. Se ve, entonces, perseguido, acusado de múltiples malversaciones y de abuso del poder. Es, en realidad, la víctima propiciatoria de la caída del Duque, y acaba sus días en el cadalso, el día 21 de octubre de 1621, primer año del reinado de Felipe IV.

Durante su cautividad y el día de su suplicio dio tan espectaculares muestras de piedad, de mortificación y de resignación viril que en la memoria del pueblo quedó como un ejemplo de dignidad y de orgullo. De aquí las frases de

Andar más honrado que Don Rodrigo en la horca o *Tener más fantasías que Don Rodrigo en la horca*[1].

Uno de sus jueces, el circunspecto Don Diego del Corral y Arellano, cuyo retrato pintó Velázquez[2], votó en contra de la sentencia de muerte y contribuyó, con ello a aureolar a nuestro trágico personaje con un cierto prestigio de mártir. Su vida ofrece tales contrastes que es asombroso que no haya sido capaz de inspirar todavía a ningún dramaturgo ni a ningún novelista. Sólo Le Sage le consagró parte de los libros VIII a XI de su *Gil Blas,* con un enfoque severo que acentúa la dureza de aquel hombre inquietante y su papel de corruptor.

Voy a ocuparme de un aspecto suyo hasta ahora poco estudiado y digno de tentar a un novelista que fuera a la vez escrutador de almas preocupado por la verdad histórica. Me refiero a la sed de honores que en Don Rodrigo Calderón va acompañada por la pasión del poder.

Es abundante la documentación a este respecto, y en su parte esencial, fue publicada por un erudito de Valladolid, José Martí y Monsó, en una revista local[3]. En el copioso apéndice documental de su obra *Los Calderones y el Monasterio de Nuestra Señora de Portaceli,* hay documentos que a la vez nos atraen y decepcionan: son pruebas genealógicas. Fueron hechas, unas a petición directa del propio Don Rodrigo cuando, en 1604, fue nombrado miembro de la Cofradía del Hospital de Nuestra Señora de Esgueva, en Valladolid, donde entonces residía la Corte, y luego, en 1611, cuando fue armado caballero de la Orden de Santiago y otras fueron llevadas a cabo, de 1605 a 1611, por instigación de nuestro todopoderoso magnate para poder convertir a su hijo primogénito, Francisco, que apenas contaba entonces dos años de edad, en caballero de la Orden de Alcántara y al pequeño, Juan, cuando apenas era un poco mayor, en caballero de la Orden de Calatrava. Con otras pruebas consiguió Don Ro-

---

[1] Luis Montoto y Rautenstrauch, *Personajes, personas y personillas que corren por las tierras de ambas Castillas,* Sevilla, 1913, t. III, págs. 23-24.

[2] Museo del Prado, *Catálogo de los cuadros,* Madrid, 1949, pág. 692, número 1.195.

[3] El *Boletín de la Sociedad Castellana de Excursiones de Valladolid,* que mencionaremos aquí con las siglas *BSCE.*

drigo que fueran armados caballeros de Santiago (cuando aún no lo era él mismo) su padre, el capitán Francisco Calderón, y el hermano de su madre, el Maestre de Campo Juan de Aranda Sandelín.

A Martí y Monsó, inclinado, como tantos otros, a admirar a Don Rodrigo Calderón, es curioso que no le extrañara el largo período de tiempo transcurrido entre las primeras y las últimas pruebas de limpieza de sangre de Don Rodrigo. Las primeras fueron fácilmente aceptadas como válidas en 1604, por una simple cofradía de la ciudad natal de su padre, la cual se sentía harto feliz entonces de ser capital de las Españas por la gracia de los Calderones y del Duque de Lerma. Pero habían de pasar aún otros siete años, hasta 1611, para que, a consecuencia de nuevas pruebas, alcanzase el tan ardientemente deseado título de Caballero de Santiago, que en seguida permitió a Don Rodrigo convertirse en Comendador y Conde, y después en Marqués.

Todo sucedió como si Don Rodrigo Calderón, después de fallar en una arriesgada operación de ennoblecimiento en 1605 y de haber estado a punto de caer en desgracia en 1607, hubiera tenido que volver a empezar en 1611 una nueva serie de maniobras preparatorias minadas por una sorda hostilidad. Y es realmente asombroso el comprobar, en estas últimas encuestas de 1611, cuantos testigos complacientes, que prefirieron no decir más que lo que sabían por pública voz y fama, presentaron entonces como prueba mayor de la nobleza de Don Rodrigo las distinciones otorgadas a su familia más próxima, que implicaban, según ellos, el que las pruebas genealógicas de Don Rodrigo estaban ya terminantemente logradas.

Sin embargo, Martí y Monsó descubrió, en documentos auténticos, un hecho cuidadosamente enmascarado por todas aquellas pretendidas pruebas. Este hecho es el de que, medio siglo antes, el abuelo paterno de Rodrigo, en el mismo Valladolid, reivindicaba su condición de mercader [4]. El erudito local nunca se preguntó, a pesar de ello, si aquel enfadoso cúmulo de testimonios no alteraba además la verdad de otros

[4] *BSCE*, 1910, t. IV, págs. 295-296, doc. 2.

puntos, contribuyendo a crear, poco a poco, una pretendida «hidalguía» hereditaria alrededor de quien, quizá, era sólo un audaz advenedizo. Conviene, pues, examinar sin complacencia toda la historia de aquel ennoblecimiento. Sin duda no fue por abnegación por lo que un ambicioso de tal temple esperó durante siete años poder entrar en la más noble de las Ordenes militares, siendo éste un honor que él deseaba apasionadamente como confiesan sus más celosos apologistas póstumos [5]. Se conoce que aquella voluntad, ante la que todo se doblegaba, había tropezado con algún obstáculo, constituido por uno o por varios de los defectos de linaje que eran, entonces, dirimentes en España: nacimiento ilegítimo o (lo que era más grave aún) reputación de ascendencia no limpia (que se remontaba a judíos conversos), o, finalmente, lo que a menudo no era sino una variante de este defecto: ascendencia de mercaderes o de banqueros.

Me he visto inducido a tales hipótesis al confrontar con aquellas laboriosas pruebas genealógicas dos clases de testimonios contemporáneos.

De una parte tenemos la estrepitosa y servil publicidad que del escudo de armas de Don Rodrigo Calderón, aún de flamante novedad, se hizo primero en 1605 en *La Pícara Justina,* de López de Ubeda, y después, en 1612, en el *Desengaño de Fortuna,* de Marqués de Careaga, y, de otra parte, en 1618, lo que ocurrió con el título de Marqués de Siete Iglesias, comentado por Pedro Mantuano en un libro, no muy extenso, que trata de los *Casamientos de España y Francia.*

En contraste con esto, las cartas que se han conservado de Lope de Vega al Duque de Sessa [6], ciertos epigramas atribuidos a Quevedo y a Villamediana [7] y, probablemente, incluso, una de las poesías introductorias del *Quijote* [8] encierran

---

[5] En particular Matías DE NOVOA, en sus *Memorias sobre el reinado de Felipe III,* t. II *(Co Do In,* t. LXI), pág. 115.

[6] Véase *infra,* págs. 90 y 99.

[7] Véase en el *Romancero de Don Rodrigo Calderón* (1621-1800), de Antonio Pérez Gómez, Valencia, 1955, el Apéndice que contiene las poesías satíricas contemporáneas de Don Rodrigo y por ello anteriores a la reacción favorable provocada por su muerte (sobre todo las núms. 2, 3 y 5).

[8] Véase en este volumen, págs. 47-78, «Urganda entre *Don Quijote* y *La Pícara Justina*».

tales ironías contra la sospechosa nobleza de Don Rodrigo y contra sus turiferarios, que no hay más remedio que tener en cuenta el escepticismo de los testigos más insobornables.

Los motivos de asombro entonces se multiplican a nuestros ojos. ¿Por qué, en 1611, cuando Don Rodrigo parece que va a alcanzar la meta de sus esfuerzos, o en 1618, cuando se estima ya incorporado a la nobleza con títulos, salen a relucir méritos familiares que nadie mencionaba siete o catorce años antes, cuando tanto los hubiera él necesitado? ¿Por qué, en el decurso de toda esta larga serie de maniobras se disimulan, y casi nos atrevemos a decir que se escamotean, los ascendientes del apellido Aranda, de Amberes, so pretexto de un parentesco próximo, entre primos, con los Calderón de Valladolid, hasta el día en que se hace entrar en escena a un hermano de la madre de Don Rodrigo (sin duda el único militar de la familia materna), aquel Maestre de Campo Don Juan de Aranda y Sandelín, a quien le es concedida, en el momento oportuno, una venera de Santiago, justamente algunos meses antes de que su todopoderoso sobrino reciba la suya propia?

Me propongo señalar aquí algunos puntos, para mí oscuros (o que quizá hayan sido oscurecidos adrede), de los antecedentes familiares de Don Rodrigo, con la esperanza de que algún erudito belga sienta deseos de investigar si los archivos de su país encierran alguna de las claves de estos misterios.

Comencemos por la oscuridad que rodea la venida al mundo de nuestro héroe. Don Rodrigo nació en Amberes y si se decidió a reconocer como cierto este hecho notorio, no carece de interés el que hagamos observar que hay diversos testigos que le tienen por nacido en Valladolid y que él mismo se declaró vallisoletano en 1601 cuando casó [9] con Doña Inés de Vargas y Carvajal, dama noble de Extremadura, cuya familia le cedió con todos sus bienes raíces dos aldeas cercanas a Plasencia, lo cual en breve permitiría al marido titularse señor de la Oliva y Plasenzuela. Parece como si, en el momento de ascender en importancia social, el antiguo paje,

---

[9] Véase *BSCE,* 1910, t. IV, pág. 386, doc. 26, y el artículo de Narciso ALONSO CORTÉS «Auto del matrimonio de Don Rodrigo Calderón», en *Hispania, Rev. Esp. de Hist.,* Madrid, 1941, t. I, págs. 80-86.

ahora «Ayuda de cámara del Rey» y ministro del favorito, desviase la atención del lugar y el medio en el que nació.

Cierta relación documental, redactada a raíz de su ejecución, y de la cual circularon, impresas, dos adaptaciones francesas, una de ellas desde 1622 y la otra a partir de 1659 [10] afirma que Don Rodrigo nació en Amberes, hijo de un soldado sin fortuna, que se encontró mezclado en los muchos infortunios de la guerra y que el niño vino al mundo antes de casarse sus padres, que lo legitimaron por subsiguiente matrimonio.

Si el narrador nos da correctamente el nombre y apellido del padre de Don Rodrigo: el soldado Francisco Calderón, en cambio llama a la madre María Sandelín, lo que se debe, quizá, a la preferencia demostrada por Calderón por el apellido Sandelín, en lugar del de Aranda.

Según varios testimonios, parece que el abuelo Aranda había muerto ya cuando, un poco más tarde (hacia 1580), su hija abandonó Amberes para trasladarse a España con su marido y el pequeño Rodrigo, y parece también que la abuela Sandelín sólo les siguió hasta Rouen, donde residió durante algunos años [11]. En cuanto a la fecha de nacimiento de Rodrigo, fijada hipotéticamente en 1577 ó 1578, o aún, con

---

[10] *Histoire admirable et déclin pitoyable advenu en la personne d'un favory de la cour d'Espagne,* París, 1622. Reimpresa por E. Fournier en el t. I de *Variétés historiques et littéraires* de la Biblioteca Elzeviriana de París, 1885, pág. 96, e *Histoire des plus illustres favoris anciens et modernes recueillie par feu Monsieur P. D. P.,* París, sobre el impreso de Leyden, 1611 (el original de Leyden es de 1659), pág. 261. De la redacción española de esta relación hay dos extractos en *BSCE,* 1910, t. IV, pág. 355, doc. 9 y 10. La redacción más completa, obra de Jerónimo Gascón de Torquemada (que se da como amigo de Don Rodrigo y testigo de su vida), fue publicada por Valladares (Madrid. 1789), pero fuera del *Semanario Erudito.* Valdría la pena hacer de ella una edición crítica según sus diversos manuscritos y textos derivados que se conservan. Parece ser que la relación conocida por el título de *Carta de Juan de Torquemada,* editada a raíz de la ejecución de Don Rodrigo, no es sino un primer esbozo o un resumen de dicha redacción.

[11] *BSCE,* 1910, t. IV, pág. 298, doc. 3 (testimonio de Juan Pascual). Según el *Recueil général des familles originaires des Pays Bas ou y établies,* Rotterdam, 1775, t. I, pág. 294 (que, por cierto, duda acerca del nombre del marido: «Francisco o Juan de Aranda»), parece que murió María el 23 de mayo de 1593 y que fue enterrada en San Bavón, en Gante.

menos seguridad, en 1570, existe una excelente razón para admitir que fue en 1576.

Nuestra relación dice que el niño fue sacado precipitadamente de Amberes, según cierta interpretación, para buscarle nodriza y para que no comprometiera la reputación de su madre, y según otra versión, que acentúa lo trágico de aquellas circunstancias, que el niño fue evacuado desde lo alto de una muralla, en ocasión en que la ciudad fue saqueada. Admitiendo como cierta esta versión, no nos resistimos a la tentación de colocar este drama en aquellos momentos de «la furia española» de noviembre de 1576, en que perecieron tantos inocentes y en los que ardió una parte de Amberes con su viejo Ayuntamiento.

Desde luego, de lo que no hay duda es de que no se debe recusar al testimonio de un biógrafo que fue contemporáneo de Don Rodrigo Calderón. Es de notar que, en la encuesta de 1611 para otorgar a Don Rodrigo el hábito de Santiago, uno de los testigos primeros de su vida, Pierre de Snabre, que sostiene con él relaciones amistosas desde hace muchos años como *guardarropa de cámara* del Duque de Lerma, pretende saber que el candidato nació en Amberes porque había oído a una mujer que ella era quien le había «sacado por una ventana» cuando era muy niño, «en una rebelión de aquella villa». Fácil es imaginar la ventana de una casa en llamas [12] y una vez más parece que la circunstancia a que se refiere esta relación es la tragedia antuerpiense de 1576. Esta última fecha concuerda perfectamente con todas las etapas de la vida de Don Rodrigo que han podido fijarse gracias a documentos fehacientes a comenzar por los de sus estudios en Valladolid, en 1591 [13].

Merecería la pena, por ello, el buscar, en lo que puede quedar de los archivos parroquiales de Amberes del año 1576, algún rastro de la fe de bautismo del niño. Parece que su padrino fue Don Rodrigo Alvarez Caldera, si hacemos caso de la afirmación de un sobrino de éste, portugués de Beja [14].

---

[12] *BSCE,* pág. 327, doc. 4. Matías DE NOVOA, *op. cit.,* t. LXI, pág. 119, recuerda cómo Rodrigo «en los primeros alientos de su infancia bajó rodando las murallas (de Amberes) en una sedición popular».

[13] *Ibid.,* 1910, t. IV, pág. 384, doc. 22.

[14] *Ibid.,* pág. 326, doc. 4.

Y la especie es muy verosímil porque un Ruy Alvarez Caldera, uno de los notables de la colonia portuguesa de Amberes, en 1566 fue nombrado cónsul de su nación y existen testimonios de su presencia en Amberes hasta 1572 [15]. El apellido del padrino nos podría ayudar a encontrar la partida de nacimiento del niño, cuyos padres probablemente no estarían claramente especificados en ella, si el nacimiento fue ilegítimo. En cuanto a los rastros de la legitimación y del matrimonio, si aceptamos la tradición corriente, habría que buscarlos preferentemente en Amberes y mejor *después de* 1576, aunque sin dejar, por ello, de buscar en los archivos de Bruselas de 1575. Personalmente no comparto la opinión de Julián Juderías de que los padres se casaron en Bruselas después de que el novio hubo obtenido la necesaria dispensa para poder celebrar el matrimonio entre primos carnales [16]. Insistiré más adelante en este punto.

También sería por lo menos de tanta utilidad, y sin duda menos aleatoria que una investigación acerca del matrimonio de los padres de Rodrigo, una indagación acerca del casamiento de sus abuelos antuerpienses, Juan de Aranda y María Sandelín. Hay que suponer, razonablemente, que debieron casarse en Amberes hacia 1560 y más probablemente entre 1555 y 1560, si es cierto que su hija María tuvo un hijo hacia 1576 y que su hermano, el futuro Maestre de Campo, más joven que María, nació hacia 1564 [17]. Si pudiera encontrarse un contrato de matrimonio Aranda-Sandelín se aclararía, con seguridad, la filiación Sandelín de la genealogía de Don Rodrigo.

Al examinar las pruebas genealógicas hechas en 1604 para conseguir la admisión de nuestro personaje en la Cofradía de Esgueva (primer acto positivo realizado por Don Rodrigo para acreditar su hidalguía) nos llama la atención la ausencia de datos precisos sobre la ascendencia de su abuela María Sandelín. Allí se dice que esta señora nació en La Haya,

---

[15] J. A. Goris, *Étude sur les colonies marchandes méridionales à Anvers de 1488 à 1567,* Lovaina, 1925, págs. 40-41, 623 y 614.

[16] J. Juderías, «Un proceso político en tiempos de Felipe III. Don Rodrigo Calderón, Marqués de Siete Iglesias, su vida, proceso y muerte», *Rev. de Archivos, Bibl. y Museos,* 1905, t. XIII, págs. 337-338.

[17] *BSCE,* 1913, t. IV, pág. 331, doc. 6.

ciudad de Holanda, entonces en rebeldía, donde nada podría investigarse [18]. Pero a nadie se le ocurre ordenar que se haga una encuesta en Amberes, donde la dama vivió largos años y donde es seguro que no faltarían testigos de su vida. Todo lo concerniente a la familia Sandelín se reduce a algunos vagos elogios a su nobleza y a los servicios prestados a la Corona por «muchos deudos muy próximos» de la abuela. A este respecto la declaración más típica es la de Magdalena Resch, criada flamenca de la familia que siguió a la joven pareja formada por el capitán y su esposa, en su peregrinación desde Amberes a España y que tuvo en brazos al niño durante toda la travesía. María de Sandelín —se declara— era una dama muy noble, que tenía vasallos en la provincia de Holanda y en la ciudad de La Haya. En tanto que dama principal, «la llamaban Señoría» y era considerada y respetada de todos cuantos la conocían. Magdalena dice también que siempre vio rodeados de la misma consideración que a la dama a sus primos, tíos y parientes, de los cuales ella vio y supo de muchos que eran burgomaestres de ciudades, capitanes y alcaides de fortalezas. La ingenua y fiel sirvienta, que ni siquiera sabe firmar, da, un año después, la siguiente y sabrosa confirmación, cuando se trata de hacer Caballero de Alcántara al hijo de su amo: María Sandelín era tan notoriamente noble que llevaba «tocado» y encima de él un chapirote de terciopelo, como llevan las personas nobles de aquel país y que sólo puede ser llevado por personas que en lo referente a linaje sean de calidad [19]. Cualquier dato acerca de la filiación de la dama valdría más, para nuestro objeto, que tales simplezas.

Pero aún hay más. En la misma época, el autor de *La Pícara Justina* dedica este libro canallesco a Don Rodrigo *Calderón Sandelín* (insólita forma de apellidar a aquel hombre tan poderoso) so pretexto de poner el libro bajo la protección de su escudo de armas y, en realidad, para dar a conocer el tal escudo que de tan reciente como es necesita de su

[18] *BSCE,* 1913, t. IV, pág. 297.

[19] *Ibid.,* págs. 299 y 353 (docs. 3 y 7). Hemos transcrito *Resch,* el apellido flamenco que el escriba español ortografía *Rex,* sin duda intentando una notación fonética.

propaganda. En su carta dedicatoria, el autor celebra, además, en términos que no pueden ser más generales, «la antigua nobleza de los Calderón y los Aranda..., linajes tan antiguos como nobles y tan nobles como antiguos, a quien dignamente se juntó la clara sangre de los nobilísimos caballeros Sandelines, holandeses progenitores de Vuesa Merced».

Y lo que no puede dejar de causar sorpresa: Donde se alegan, describen y comentan estas armas pseudonotorias es en las pruebas de nobleza del niño Francisco para conseguir la Orden de Alcántara y no en las pruebas de limpieza de su muy poderoso padre [20].

Estas armas coinciden con las colocadas por López de Ubeda en el frontispicio de su *Pícara* y apresurémonos a añadir nosotros que en aquel escudo todo es sospechoso, comenzando por la usurpación de unas pretendidas armas de un Ortega en provecho de la familia Calderón [21]. Y sucede que en el expediente genealógico del pequeño Francisco figura una mención, desde luego correcta, de las armas de los Sandelín nobles, como pueden verse en un vitral de la Catedral de Amberes, donde la familia tiene su sepulcro. Consisten en tres gallos de plata en campo de gules. Pero, ¿por qué, entonces, brillaban por su ausencia estos tres gallos en el escudo de Rodrigo, si no es porque no tenía ni el más mínimo derecho a llevarlos?

Para hallar nuevos detalles acerca de los ascendientes de la abuela Sandelín, han de transcurrir seis años hasta que aparece el expediente de su hijo Don Juan de Aranda Sandelín, con el que trata de conseguir la Cruz de Santiago, vanguardia de la última ofensiva de Rodrigo, para lograrla él a su vez. El tío del todopoderoso Calderón aparece, entonces, como descendiente directísimo por su madre de un Sandelín

---

[20] *BSCE,* 1913, t. IV, pág. 354.

[21] El pretendido parentesco del padre de Rodrigo con los Ortega parece invocado para relacionar a los Calderón con una familia de la que Martí y Monsó *(BSCE, op. cit.,* pág. 293, doc. 1) descubrió una «ejecutoria de hidalguía» fechada en 1511 en favor de un Francisco Ortega, mercader residente en Valladolid. En el único documento en el que tal apellido figura relacionado con los Calderón *(ibid.,* pág. 296, doc. 2) aparece llevado no por el abuelo de Don Rodrigo, sino por un hermano suyo, «Juan de Hortega Calderón». En cambio, una casa heredada o adquirida por el padre de Rodrigo llevaba esculpido este escudo de los Ortega-Calderón. ¡Bonita base!

perfectamente documentado. Sus abuelos maternos son Arnaldo Sandelín, Consejero de Holanda, y Matilde de Jonghe[22].

Lo que nos obliga a no aceptar los datos de 1611 sino con reserva, es que no fueron alegados, ni siquiera indirectamente, siete años antes, cuando Rodrigo Calderón hubiera debido tener más interés en revelarlos y es también el que los testimonios de 1611 acerca de esta ascendencia fueron recogidos no en Amberes, donde la abuela Sandelín debió casarse y donde vivió casi veinte años después de su matrimonio, sino en Bruselas. Porque debe ser subrayado que nunca en el curso de seis encuestas genealógicas (dos de las cuales conciernen a Rodrigo y las otras cuatro a sus dos hijos, a su padre y a su tío materno), fueron recogidos datos en Amberes, y nótese, además, que el tardío descubrimiento de los servicios prestados a la Corona por los Sandelín, parientes próximos del favorito, tuvo un curioso retoñar. En 1618, Pedro Mantuano se convierte en historiógrafo del viaje de la Corte de España a la frontera de Francia para el intercambio de princesas que, con su doble matrimonio, sellarán una efímera reconciliación franco-española y al dedicar su relación al primogénito de Don Rodrigo, aprovecha la ocasión para hacer propaganda del último título de nobleza recibido por su padre: el Marqués de Siete Iglesias[23]. Reproduce, incluso,

---

[22] *Ibid.*, pág. 333, doc. 6. Encuesta de Bruselas. Esto coincide con las genealogías de la familia Sandelín y, en particular, con la más seria, la de Bedaerts van Blokland («Het geslacht Sandelijn», *De Nederlandsche Leeuw,* XXI, 1903, págs. 271-275); Juan de Aranda, que mezcla su sangre española con la de esta familia, es aquí correctamente designado como «een Spaansch koopman te Antwerpen». Los ocho hijos que nacieron de aquel matrimonio no son enumerados por Blokland. El *Nobiliaire des Pays-Bas,* compilado por De Vegliano y el Barón de Herckenrode (t. I, Gante, 1865, págs. 45-46), inspira menos confianza, puesto que, confundiendo más o menos a dos Juan de Aranda, atribuye al primero, el marido de «María Sandelín, hija de Arnoldo, señor de Noortegavere, y de Matilde de Jonghe», las cualidades de «coronel de infantería de valona, maestre de campo de un regimiento español y alcaide del Castillo de Gante», títulos que, en realidad, pertenecen a su hijo. De los ocho hijos del matrimonio Aranda-Sandelín, según la lista del *Nobiliaire,* María, madre de Don Rodrigo Calderón, es la segunda, y Don Juan de Aranda, el futuro maestre de campo y caballero de Santiago, es el séptimo.

[23] Pedro MANTUANO, *Casamientos de España y Francia,* Madrid, 1618. Epist. dedic. a D. Francisco Calderón, cavallero de la Orden de Alcántara, Menino del Príncipe nuestro Señor, hijo primogénito heredero del Marqués de Siete Iglesias, etc.

todo el texto, en el que se recuerdan, además de los servicios del capitán Calderón, los de los demás Calderón a los Reyes de Castilla, en los siglos anteriores. Y de estos servicios no se nos hablaba nada, once años antes, cuando López de Ubeda sólo soltaba vaguedades más o menos oratorias acerca de esta antigua nobleza y ocurre además que el escritor-cortesano añade, con una cierta falsa ingenuidad, que ha notado, con gran asombro suyo, una cierta laguna en aquel título: que en él no se menciona a Artús Sandelín, hermano de la bisabuela del joven Don Francisco (o sea al hermano de la abuela Sandelín de Rodrigo). El personaje en cuestión, burgomaestre de Amsterdam en el momento del levantamiento antiespañol de Holanda, Mantuano pretende que llegó al Castillo de Amberes, entonces amenazado por los Estados, abandonando «el gobierno de la villa, su hacienda, su casa, su mujer y sus hijos, diciendo que no podía cumplir con la fidelidad de vasallo leal al Rey nuestro Señor viviendo entre traidores». Dato éste conmovedor y casi inédito que brindo a la crítica de los historiadores de la ciudad de Amsterdam y a los de la ciudad de Amberes.

Pero véase cómo reinaba el escepticismo acerca de las revelaciones progresivas de la nobleza de Don Rodrigo Calderón. Lope de Vega se apresura a comentar, en una carta al Duque de Sessa este último hallazgo, pero deformándolo para ridiculizarlo: «Artús Sandalón, Burgomaestre de Santerdam, agüelo de Siete Iglesias...» [24].

Y ahora, algo más acerca de las indagaciones a que podría dar lugar la abuela Sandelín. Si esta filiación, tan tardíamente proclamada, tropezara con dificultades, habría entonces que investigar acerca de otros Sandelín, menos importantes quizá,

---

[24] *Epistolario de Lope de Vega y Carpio,* ed. A. G. de Amezúa, t. IV, Madrid, 1943, pág. 18. Según Bedaerts van Blokand *(op. cit.,* XXI, páginas 273-274, y XII, pág. 50), Adriaen Sandelijn, hermano mayor de la esposa del mercader Juan de Aranda, se había fijado en Amsterdam, donde fue pensionario (1555), consejero (1555) y concejal (1576) y murió en 1577. De los hijos que tuvo de Ana Gauen, el cuarto, Arent o Arnoldo, fue también concejal en Amsterdam en 1576, consejero de la Corte de Holanda (1576) y luego de la de Gueldre, en Roermond. Muerto el 28 de septiembre de 1607, fue sepultado en la catedral de esta ciudad. El Artús de nombre legendario sería, pues, el padre, Adriaen, que no parece haber sido burgomaestre de Amsterdam en 1576, sino concejal.

pero conocidos o bien en los medios mercantiles de Amberes o bien en los medios de la administración financiera. En los trabajos de Goris sobre Amberes encontramos incidentalmente a un recaudador de Zelandia llamado Jerónimo Sandelín, señor de Herenthout y Herlaer (parentesco mencionado en las «pruebas» del Maestre de Campo). Era un sobrino de Arnoldo. Además, el mismo erudito nombra también a otros Sandelín que en 1517 figuran entre los comerciantes de Amberes fugitivos por deudas[25]. En definitiva, se nos impone la probabilidad de que la abuela Sandelín representaba la única ascendencia noble de Don Rodrigo Calderón (y por ello, sin duda, la efímera adición de su apellido al de Calderón cuando López de Ubeda dedica *La Pícara Justina* al favorito tan necesitado de nobleza) y también creemos que, a pesar de ello, todos se abstuvieron de precisar este parentesco por miedo a que, con ello, aparecieran algunos primos Sandelín súbditos de los «Estados» rebeldes y quién sabe si procedentes también de las profesiones mercantiles.

Y ya es hora de que volvamos a los Aranda, linaje en el que parece que se basa la objeción principal hecha a las pruebas de nobleza de Don Rodrigo Calderón. En una palabra: si se evitó sistemáticamente a Amberes como lugar de averiguaciones, fue quizá porque el abuelo Juan de Aranda era allí muy conocido —honorablemente conocido, desde luego— como hombre de negocios. Me he permitido insinuar que se prescindió de pormenores sobre el linaje de los Aranda en general, con miras a eliminar la incógnita Aranda del problema Calderón mediante una especie de ecuación: Aranda = Calderón. De la misma manera que Rodrigo sucumbió a la tentación de hacerse pasar por nacido en Valladolid, se insistió en que Juan de Aranda, aunque se hubiera fijado en Am-

[25] J. A. Goris, *op. cit.*, págs. 572-573 y 360. Que los Sandelín fuesen mercaderes, algunos de ellos con capacidad para desempeñar cargos oficiales de la Hacienda real y ascender a «señorías», a la vez compradas y otorgadas, es casi seguro. Tal es el caso de Jerónimo Sandelín, que en 1540, como recaudador de Zelandia, persigue a los marranos, negocio tan lucrativo para él como para la Corona, según advierte Goris. Otro Jerónimo Sandelín, o el mismo, actúa en 1552 para financiar pagas de tropas de Alemania, asociado con Wolf Haller, de Francfort. Es decir: hace de comisario imperial de ejércitos, otro encargo oficial propio de un hombre de negocios (Archivo General de Simancas, Estado, legajo 647, folios 98 y 99).

beres durante largo tiempo, era un Aranda de Valladolid, hermano del «depositario» de aquella ciudad Pedro de Aranda y de una María de Aranda, casada con el abuelo paterno de Rodrigo Calderón. De lo cual resultaría que los padres del famoso Don Rodrigo eran primos hermanos. Y ello no es imposible. Sin embargo, ¿qué es lo que, también en esto, nos hace sospechar? Sencillamente, la insistencia, demasiado machacona, con la cual, no contentos con afirmarlo, algunos pretenden probarlo, y probarlo con una circunstancia que parece pura fábula: el decir que cuando Rodrigo tuvo necesidad de una dispensa canónica para poder casarse con una prima-hermana, hizo el viaje a la Ciudad Eterna *él mismo en persona.* Los peritos en Derecho Canónico creo que me concederán el que la cosa no era nada rara ni tan difícil como para exigir tan lejana expedición. Ninguno de los testigos que conocieron a los padres de Rodrigo en Amberes mismo afirmó que hubiera visto partir al capitán hacia Roma ni volver de allí. En cambio, es curioso ver cómo remacha esta prueba de ser primos carnales los contrayentes un cierto Juan de Huerta, que asegura que conocía a Rodrigo desde que llegó a Valladolid en brazos de su niñera, pero que también dice haber permanecido luego en Amberes y allí haber satisfecho una curiosidad retrospectiva: Allí, efectivamente, «procuró saber por curiosidad, por qué el capitán Calderón, padre del dicho Don Rodrigo, se había casado con Doña María de Aranda y había ido a Roma por la dispensa para casarse con la dicha, pues se había movido a hazer tan larga jornada y emprender cosa tan dificultosa como el casar con prima hermana suya»[26]. Tanta insistencia hace que sospechemos que de lo que se trata es de matar dos pájaros de un tiro y que la *prueba* tiene *también* por objeto el ahogar el rumor del ilegítimo nacimiento de Don Rodrigo.

Entre los documentos publicados en extracto por Martí y Monsó[27] existe uno que parece fue cambiado de legajo en los Archivos de las Ordenes militares de Madrid y que, evidentemente, por su fecha y por su objeto, debió unirse a las pruebas genealógicas aportadas por Rodrigo para ser armado

---

[26] *BSCE,* 1910, t. IV, pág. 298, doc. 3.
[27] *Ibid.,* pág. 356, unido al doc. 8.

Caballero de Santiago a fines de 1611. Documento capital porque revela la única nota discordante en el concierto de testimonios de pureza de sangre y de pureza nobiliaria. A pesar del temido poder de Rodrigo alguien, ¿tal vez su enemigo el Confesor Real Aliaga?, había osado llamar la atención del Rey sobre los rumores subsiguientes al otorgamiento de ciertos títulos. Este alguien había señalado al Consejo de las Ordenes cuál era la reputación de los Aranda de Medina del Campo, «cuya falta de limpieza era tan notoria». Como consecuencia, el Rey mandó a Medina a dos jueces para que averiguaran —dice el documento— «si los Arandas que tocan a Don Rodrigo Calderón eran de los mismos que hay en Medina». La indagación, muy sigilosa y muy bien circunscrita, terminó con toda felicidad. Resulta de ella que el único Aranda considerado como primo del padre de Don Rodrigo era el Correo Mayor de Medina Luis de Aranda y que éste era hijo, nieto y tataranieto de los Aranda de Valladolid, que, antes de esto, habían quedado ya libres de toda sospecha. Con ellos salía a salvo Don Rodrigo.

No parece útil el detenernos más en considerar los arcanos de las encuestas genealógicas que, ni se apoyaban en documentos del Registro Civil ni tampoco en actas notariales (que hubieran dado filiaciones de autenticidad garantizada por el interés de los propios contratantes). Por una especie de *«quod erat demonstrandum»* siempre se lograba pasar de lo desconocido a lo conocido, de lo inquietante a lo tranquilizador, cuando se trataba de persona poderosa mientras que todo salía al revés tratándose de desdichados. No conviene, desde luego, impugnar *a priori* el que los padres de Rodrigo Calderón, él de Valladolid y ella de Amberes, no fueran primos hermanos. Como tampoco conviene entrar en el odioso juego de los que denunciaban impurezas de sangre. Lo único que importa al biógrafo de Don Rodrigo es buscar el apoyarse en documentos fehacientes sin, por ello, cerrar los ojos a este enigma: ¿qué obstáculos, reales o imaginarios, pudieron, durante tanto tiempo, cerrar el camino a la Orden de Santiago a aquel personaje, el segundo del Reino por su influencia, a pesar del ardor con que sabemos ambicionaba tal honor?

Sin duda, para acercarse a la solución del problema, habrá que estudiar mejor las actividades mercantiles de sus antepasados. Documentos sin réplica posible nos prueban que su abuelo Calderón de Valladolid era mercader [28] y uno de los testigos más precisos en sus declaraciones dice de Juan de Aranda que había salido para Amberes a ocuparse de los negocios de su hermano, Luis de Aranda, el depositario de Valladolid, «con negocios de su hermano» [29]. Y un depositario de bienes, ¿no era aquel que, con las debidas precauciones, manejaba fondos de los que era «depositario» oficial? Es fácil comprobar que el apellido Aranda figura, en aquella época, en diversas plazas comerciales. Los Aranda de Nantes, que se fijaron en Francia ya a mediados del siglo XV son personajes notables, de origen español, descendientes de mercaderes enriquecidos [30].

Otro notable negociante, Francisco de Aranda, fue cónsul de España en Brujas y padre del célebre viajero, poeta e historiador Manuel de Aranda, a quien cautivaron los corsarios de Argel en 1641. Parece que también el linaje de estos Aranda arraigó en Brujas, desde el siglo XV [31].

¿Son todos ellos originarios de Aranda de Duero? Desde luego, los lazos de parentesco entre ellos resultan hoy difíciles, casi imposibles, de establecer, si es que existen. De algunos Aranda, mercaderes en Amberes en el siglo XVI hay datos referentes a su situación económica, pero ninguna referente a sus relaciones de parentesco. A este respecto nos gustaría saber de dónde procedía un tal Diego de Aranda [32], sin duda bastante opulento, que en 1539 encarga a un tapicero de

---

[28] Véase *supra*, pág. 81, e *infra*, pág. 102.

[29] *BSCE*, 1910, t. IV, pág. 297, doc. 3. Testimonio de Bartolomé de Palacio. Cf. *ibid.*, t. V, pág. 261; el Indice levantado por Martí y Monsó que menciona a un Luis de Aranda, «depositario» de la Chancillería.

[30] J. MATHOREZ, «Notes sur les rapports de Nantes avec l'Espagne», *Bulletin Hispanique*, t. XVI (1919), pág. 385.

[31] Artículo sobre Manuel de Aranda en la *Biographie Nationale Belge*, t. I, Bruselas, 1866, pág. 358.

[32] J. A. GORIS, *op. cit.*, pág. 285. Según el índice alfabético de la documentación de Martí y Monsó (*BSCE*, 1911, t. V, pág. 261), un tal Diego de Aranda y Madrid parece que fue hijo del «depositario» de la Chancillería de Valladolid y parece ser que tío-abuelo de Don Rodrigo Calderón. Su apellido no aparece, sin embargo, en los extractos que publica Martí del documento al cual nos remite (doc. 8).

Bruselas un pedido de tapices de la historia de Jacob y con las armas o emblemas del comprador en las orlas.

Pero, sobre todo, nos gustaría saber algo más sobre el Juan de Aranda que figura, en 1560, en la lista de los españoles casados de Amberes y que aparece, en 1565, entre los firmantes de una petición presentada por los mercaderes que negocian en seguros [33]. Porque hay grandes probabilidades de que se trate del propio abuelo materno de Don Rodrigo Calderón, aquel hombre de fuste que según ciertos testigos de las pruebas de nobleza de su nieto, era lo bastante importante como para recibir en su casa de Amberes a «Don Fadrique, primogénito del Duque de Alba, y otros muchos caballeros» [34].

Ganaría en probabilidades esta identificación si resultara documentalmente probado que aquel Juan de Aranda desaparece de la escena hacia 1570 o poco después, como dan a entender ciertos testigos que ocurrió con el abuelo de Rodrigo. Es probable que este abuelo no vivía ya en el año aciago en que su hija María trajo al mundo un hijo que iba a tener tan trágico destino.

Parece entreverse, además, una María de Aranda, que vivía en aquel medio de gente pudiente y que pudo ser o la madre o la abuela de Rodrigo Calderón. G. Colin, conservador de la Reserva Preciosa de la Biblioteca Real de Bélgica, fue quien encontró, en el Registro de encuadernadores de Cristóbal Plantin, un pedido referente a una encuadernación de lujo de un *Libro de Canciones* que debía llevar «en un lado *María de Aranda,* y en el otro lado Anno 1567» [35]. Fácil es imaginar que un burgués rico ofrecía este regalo o a su mujer o a su hija.

Hasta aquí, he de reconocerlo, sólo hay indicios, más que verdaderas pistas, para encontrar la familia antuerpiense de Don Rodrigo Calderón y su posición real en aquella ciudad, cuyas desgracias de 1576 pudieron agravar el drama personal

[33] J. A. Goris, *op. cit.,* págs. 612 y 189. Aquel Juan de Aranda establecido en Amberes parece imposible de identificar con el que fue factor de la Casa de Contratación de Sevilla en la época de la expedición de Magallanes (E. Schaefer, *El Consejo de las Indias,* t. I, Sevilla, 1935, págs. 21, 40, 81). Sin embargo, el puesto de factor real presupone antecedentes mercantiles.

[34] *BSCE,* 1910, t. IV, pág. 297, doc. 3. Testimonios de Bartolomé de Palacio y de Don Francisco de Bobadilla, Conde de Puñoenrostro.

[35] Dato que debo a la cortesía del propio G. Colin.

de una cierta María de Aranda. Sólo me queda mencionar un episodio mejor conocido, gracias a P. Génard, que yo llamaría de la vuelta de Rodrigo, en gloria y majestad, a su ciudad natal. Ocurrió poco después de su entrada en la Orden de Santiago. La reina Margarita había muerto al dar a luz el 23 de octubre de 1611, y como había sido muy severa al juzgar la ambición sin freno de Rodrigo Calderón (coincidiendo con el P. Luis de Aliaga, confesor del Rey), cundió la sospecha, sin fundamento, de que el favorito había contribuido a la muerte de la soberana. Felipe III, deseando ahogar aquellos rumores desde su origen, a la vez que alejó de la Corte a Don Rodrigo, le dio pruebas públicas de su confianza [36], nombrán-le Embajador en Venecia, y para dar más brillo a su misión, se decidió a acelerar el proceso de ennoblecimiento del favorito tanto tiempo paralizado.

Armado Rodrigo caballero de la Orden de Santiago, triunfó de los que rumoreaban que los Aranda de Medina del Campo no eran limpios de sangre y pronto consiguió llegar a Comendador de Ocaña y a Conde de la Oliva.

Pero además, al prepararse el gran asunto de las bodas reales franco-españolas, la Embajada de Venecia se convierte en Embajada cerca de la Corte archiducal de Bruselas, a la que Rodrigo está encargado de llevar la noticia oficial de dichos enlaces. Se pone en camino en compañía del Marqués de Spínola, el héroe futuro de *Las Lanzas,* de Velázquez, deteniéndose en la Corte de Francia largo tiempo y consiguiendo Calderón en Fontainebleau un verdadero éxito personal al dar y recibir innúmeros regalos [37].

Naturalmente, una vez llegado a Bélgica, Don Rodrigo hizo una visita oficial a su ciudad natal y publicada por Génard, según el Libro de Arengas y Bienvenidas de la Ciudad, podemos leer «la bienvenue donnée par le pensionnaire de Weerdt au senor Don Rodrigo de Calderón, Comte d'Oliva, Ambassadeur de Sa Majesté Catholique» el 28 de agosto de 1612 [38].

[36] J. Juderías, *op. cit.,* págs. 355-359.

[37] Véase Cabrera de Córdoba, *Relaciones de las cosas sucedidas en la Corte de España, 1599-1614,* Madrid, 1857, págs. 437 y 477-478.

[38] *Bull. des Archives d'Anvers,* publicado por P. Génard, t. IV, Amberes, s. f., págs. 350-353.

En esta acogida nadie, desde luego, evoca recuerdos dramáticos; se solicita más bien la protección del ilustre visitante para el lugar de su nacimiento. Don Rodrigo promete, respondiendo en español a las palabras en francés del alcalde, favorecer a la ciudad o, al menos, a sus magistrados.

Cinco días después de la ceremonia de la bienvenida, queda registrada la de la despedida y en el intervalo entre ambas, el 31 de agosto, el Ayuntamiento, en sesión plenaria, decide, para agradecer las liberalidades de Don Rodrigo Calderón para con las iglesias, los conventos, los pobres de Amberes y, sin duda, también, para conseguir sus buenos oficios, hacerle un espléndido regalo: la *Adoración de los Reyes Magos,* que acaba de pintar Rubens para las Casas Consistoriales. Esta obra maestra ingresó al poco tiempo, en las colecciones reales de España, y con ellas pasó al Museo del Prado, donde hoy puede verse [39]. El hecho ocurrió en 1623, dos años después de la muerte de Rodrigo en el cadalso, al liquidar sus bienes, en virtud de la sentencia que le condenaba a restituir a la Real Hacienda 1.250.000 ducados [40]. Conviene recordar que, en el momento de la deliberación en que se discutió el regalo de la obra de arte a Don Rodrigo votó en contra el Decano de la Corporación de Merceros [41].

Recordemos también que las liberalidades de Calderón para con la ciudad de Amberes le fueron reprochadas durante su proceso y anotadas como contrapartida de sus conclusiones. Hubo quien aseguró que había querido señalar su presencia en su ciudad natal liberando a cuantos prisioneros por deudas había en ella, a sus propias expensas, y que hizo donación, al mismo efecto, de la sillería de coro, verdaderamente magnífica, de la iglesia en que fue bautizado. Si este dato

---

[39] *Catálogo* citado, pág. 532, núm. 1.638. Parece que el cuadro fue retocado y ampliado por el propio Rubens durante su larga estancia en Madrid de 1628 a 1629.

[40] *BSCE,* 1910, t. IV, pág. 558, doc. 73. Según un «Memorial de Cargos» del proceso, utilizado por J. Juderías, *art. cit.,* pág. 361, el cuadro ofrecido por la ciudad de Amberes costó a ésta «1.000 felipes de a 10 reales». D. Rodrigo, para traer a España todas las adquisiciones y regalos recibidos en Bélgica, hubo de fletar en Dunkerque un barco de 200 toneladas.

[41] El acta de esta sesión municipal figura en el *Bull. des Archives d'Anvers,* vol. citado, págs. 351-352.

es cierto y se hubiera conservado entre los protocolos del notario correspondiente, el contrato para la ejecución de esta sillería entre 1612 y 1618, tendríamos hoy una indicación segura para poder hallar la partida de bautismo de Rodrigo y el lugar exacto en que tuvo lugar [42].

La fugitiva apoteosis antuerpiense de Don Rodrigo tuvo un curioso epílogo. Aún estaba en el camino de vuelta a Madrid el Embajador extraordinario cuando ya Cabrera de Córdoba [43], en su diario cortesano, anotaba en la fecha del 20 de septiembre de 1612 un curioso rumor acerca del favorito, para quien se preparaba desde hacía varias semanas, el Marquesado de Siete Iglesias: «Aquí anda plática de que Rodrigo Calderón ha probado en Flandes ser hijo del Duque de Alba Don Fadrique, cosa que causa admiración a muchos que él se haya querido poner en esto.» Lope de Vega, más explícito aún, comenta así la noticia al transmitirla al Duque de Sessa: «Camino es de llegar a ser Grande de España, como su Excelentísima del Duque (de Lerma) se lo ha prometido, según dizen; hablo de esto ansí, porque sé que V. Exc[a]. se regocija

---

[42] J. Judерías, *art. cit.*, pág. 361. Después de hecha esta Comunicación a la Real Academia de Bélgica, me fue posible aplicar estos datos a la historia de la iglesia de San Jorge. El doctor Floris Prims (*Geschiedenis van Sint-Joriskerk te Antwerpen,* Amberes, 1924, pág. 214) nos hace saber que Don Rodrigo Calderón dio 1.500 gulden a aquella iglesia para que se construyera en ella una nueva sillería en el coro alto. Su importe, satisfecho en varias veces, lo recibieron Francisco Cattaneo y Melchor Despinosa. Se efectuó el trabajo entre 1612 y 1613. El gasto total fue de 2.150 gdn. y 14 $^1/_4$ st., de los cuales 1.800 se pagaron a los ebanistas M. Otmaer von Ommen y Jan van Chiploy. Entre los gastos figuran los de la confección y dorado de las armas y títulos de D. Rodrigo y del venerable Deán del Castillo de Amberes. La sillería en cuestión fue destruida y reemplazada en 1784 (pág. 312). El doctor Floris Prims parece (pág. 339) identificar a Rodrigo Calderón con los ricos «signor» o burgueses portugueses y españoles que habitaban en la Gasthuisstraat, calle de aquella parroquia de San Jorge. Es posible que se llegase a averiguar si Juan de Aranda o su viuda habitaron también aquel barrio. En todo caso, la iglesia de San Jorge estaba situada cerca de la puerta del mismo nombre, inmediatamente junto a la muralla que tan lucido papel desempeña en la leyenda de D. Rodrigo poco después de su nacimiento. Acerca de la puerta de San Jorge, punto estratégico que dominaba los caminos de Lierre y de Malinas, véase J. A. Goris, *op. cit.*, pág. 597.

[43] Cabrera de Córdoba, *op. cit.*, pág. 497. Don Fadrique era hijo del primer Duque de Alba, gobernador de los Países Bajos. Le había sucedido en el título ducal y había muerto en 1585.

de todo el bien del Conde»[44]. Fácil es apreciar la oculta ironía existente entre líneas cuando sabemos que Lope de Vega, dos años antes, ante las primeras perspectivas de Don Rodrigo de acceder a las grandezas de «título», ya hacía trizas con sus sarcasmos la reciente y dudosa nobleza del favorito para divertir con ello a su señor el Duque de Sessa, «gran Señor desde Adán». El poeta, aludiendo a las ínfimas villas con cuyos nombres se iban a crear los nuevos títulos de Don Rodrigo, comparaba entonces estos honores con una morcilla en la que a falta de sangre, «lo que más ocupa es la cebolla y anda la villa a bueltas del olor de las especias»[45]. Despiadada evocación de la mercantil Amberes, donde el abuelo Aranda había sido negociante, bien descuidado de que un hijo de su hija llegaría a disfrutar señoríos, una encomienda, un condado y un marquesado...

Naturalmente, el rumor propagado en el otoño de 1612 fue rechazado por Martí y Monsó[46] como inversímil y calumnioso. Admitámoslo así, pero no olvidemos que en estas historias de alcoba y bastardía, imposibles de aclarar como las de limpieza de sangre, lo que a los historiadores importa es, más que la realidad o la inverosimilitud de tal paternidad, la significación psicológica y social de tal rumor. Y para el que sigue sin prejuicios apologéticos la historia de aquel desenfrenado ambicioso, es comprensible que Rodrigo buscara el

---

[44] *Epistolario,* op. cit., t. III, pág. 114.

[45] *Ibid.,* t. III, pág. 19 (30 de abril de 1610). La expresión «gran señor desde Adán» aplicada por Lope al Duque de Sessa se encuentra en otra carta *(ibid.,* pág. 279). En la carta del 30 de abril de 1610 (como también hacia el 20-22 de noviembre de 1611, *ibid.,* pág. 77), Lope designa prudentemente a Don Rodrigo con la fórmula de «aquella persona». Este documento confirma otros indicios según los cuales era esperado desde la primavera de 1610 el ennoblecimiento del favorito, el cual, misteriosamente paralizado, no llegó a término hasta fines de 1611.

[46] *BSCE,* 1909, t. IV, págs. 12-13. El erudito en cuestión publica *(ibid.,* págs. 454-455, doc. 41) la carta del capitán Calderón a su hijo, que, fechada el 9 de octubre de 1605, circuló hacia la época de la muerte de este último, y donde le reprocha largamente sus ambiciones nobiliarias, temeroso de que el camino de las pruebas de «limpieza de sangre» que él acababa de pisar resultara fatal para el honor de toda la familia. Este documento nos parece más auténtico de lo que parece admitir Martí y Monsó, equivocado quizá por la reacción favorable a Calderón que se desarrolló durante todo el período en que gobernó a España el Conde-Duque de Olivares.

convencerse a sí mismo, o por lo menos el hacer creer a los demás que su orgullo le venía de nobilísima sangre, a pesar del evidente riesgo de contristar y humillar con ello a su excelente padre, el capitán Calderón.

Parece, pues, que Rodrigo fue inventando los títulos de nobleza de sus antepesados a medida que iba consiguiendo los suyos. Había sido víctima durante mucho tiempo de algunos rumores, fundados o no, acerca de la irregularidad de su nacimiento y de la impureza de sangre de los Aranda. Había hecho correr la especie, para dar visos aristocráticos a la casa de su abuelo de Amberes, de que era frecuentada por el propio Don Fadrique y otros nobles. ¿Por qué no habría de pensar en difundir acerca de su novelesco nacimiento una versión más halagadora para él que la que corría a pesar suyo, calculando la posible influencia de una leyenda así sobre el favor supremo con que soñaba? Quevedo, más defensor de su memoria que otra cosa, le tiene como hijo del capitán Calderón, «hombre honrado y de gran virtud y de una señora flamenca principal». Pero añade también que «buscó otro padre para proporcionar su persona con su fortuna» e incluso forja esta fórmula que se hará célebre: «Uno de los delirios de su vanidad y ambición fue achacarse el ser hijo del Duque de Alba viejo, queriendo más ser mocedad y travesura del Duque que bendición de la Iglesia» [47]. En todo caso, de ser cierto que Rodrigo solicitó de Amberes testimonios acerca de los amores furtivos de Don Fadrique con su madre, sería la primera vez que se hacía allí una encuesta sobre su genealogía.

Si creo yo que sería deseable el poner a contribución todos los fondos parroquiales y notariales de los Archivos de Amberes y Bruselas para precisar del mejor modo posible las circunstancias del nacimiento de Don Rodrigo, así como la filiación exacta y la verdadera situación de sus antepesados que vivieron en los Países Bajos es porque este tema está por encima del nivel anecdótico de la historia local. Poner en claro los orígenes del Marqués de Siete Iglesias, y sobre todo

---

[47] QUEVEDO, *Grandes anales de quince días.* En estas páginas severas de historia contemporánea concernientes al advenimiento de Felipe IV, la parte referente a Rodrigo Calderón se completó o rehizo abiertamente después de la muerte de éste.

de su línea materna, sería hacer avanzar la historia social de España y también la de Bélgica, ya que los españoles en Brujas y en Amberes representaron un papel económico importante. Aquel favorito, cuya ascensión fue tan deslumbrante como estruendosa su caída, ilustra quizá, por ser un caso extremo, uno de los orígenes de lo que yo llamaría, usando, adrede, de modo ambiguo del vocabulario de la historia romana, el orden ecuestre de la Monarquía española. Y con ello quiero referirme a la clase social formada por los *caballeros* de las Ordenes militares de Santiago, Calatrava y Alcántara. Estos caballeros ya no se reclutan en el siglo XVI, y mucho menos a comienzos del XVII, entre los combatientes de la frontera contra los moros. Constituyen, en parte, una orden de caballería cortesana y ciudadana, entre cuyos neófitos existen, en cierta proporción, hombres que proceden del mundo de los negocios y que consiguen, empero, empleando una táctica aún insuficentemente estudiada, probar que sus antepasados eran limpios de sangre y sin relación alguna con las profesiones mercantiles [48].

---

[48] En un estudio reciente de Virginia RAU *(A Embaixada de Tristão de Mendonça Furtado e os Arquivos Notariais Holandeses, Lisboa,* 1958, pág. 100, separata dos *«Anais»* da Academia Portuguesa da Historia, II serie, vol. 8) se ve cómo la monarquía restaurada de Portugal, en 1641, condecora con la Orden de Cristo a un tal Guillermo Rouzé, originario de Arras, establecido como comerciante en Lisboa desde 1605 aproximadamente, al mismo tiempo que le nombra factor o agregado comercial de una Embajada en Holanda. Pero se critica a Juan IV «por otorgar tamaño honor a un extranjero sin más mérito que la misión que S. M. le confía». Un Juan Pascual, «caballero de la Orden de Santiago y del Consejo de Hacienda de S. M.», declara en favor de la «limpieza de sangre» de la abuela Sandelín cuando la primera «prueba de Rodrigo» *(BSCE,* 1910, t. IV, pág. 299, doc. 3). Aquel consejero condecorado con una Orden noble que tan bien conoce las peregrinaciones de la familia Calderón-Sandelín de Amberes a Rouen, por haber personalmente habitado en Rouen, parece verosímil que fuera originario de las esferas mercantiles. Hipótesis que se ve más reforzada que debilitada por todo lo que leemos en CABRERA DE CÓRDOBA *(op. cit.,* págs. 38, 39, 45, 80, 141, 151, 164, 236) sobre la carrera del tesorero Juan Pascual y por las ocho páginas in-folio que su familia ocupa en el *Nobiliario* de A. López de Haro (Madrid, 1622, págs. 516-533). Se suele acudir a las «pruebas» genealógicas, a pesar de lo sospechosas que son. Pero ¿no existirá en los archivos de las Ordenes documentación acerca de las censuras formuladas a propósito de dichas «pruebas», como la que hemos mencionado *(supra,* pág. 92) o la que apunta en Portugal Virginia Rau?

Lo más importante de esta técnica era el arte de sobornar testigos y el ejemplo de Don Rodrigo nos demuestra que para soslayar el obstáculo de los abuelos importunos, lo más cómodo era hacer nobles a los descendientes propios para luego ennoblecerse uno mismo. Esto es quizá el origen de un curioso proverbio al que alude *La Pícara Justina:* «Piensa que nos hace los hijos caballeros», con lo que se quiere significar: «Cree él que nos hace un gran favor» [49].

La literatura del Siglo de Oro está llena de ironías contra las hidalguías compradas y el poder ennoblecedor del dinero: «Poderoso caballero es Don Dinero», «Dineros son calidad...» [50]. Para Quevedo, portavoz de los viejos ideales militares, aquello era un escándalo. Para nosotros, aquella nobleza de origen mercantil, aun considerada sin prejuicios, es antipática sobre todo por las mentiras a que le obligaba el conseguir las *pruebas* de limpieza de sangre, y quizá también por el aspecto especulativo de algunas fortunas. Juan de Aranda parece que fue un «assurancier», como entonces se decía, dedicándose al negocio de seguros, actividad capitalista que entrañaba una gran parte de azar y de información secreta. Y resulta curioso con respecto a nuestro tema que una póliza de seguro marítima firmada por un armador de Amberes en 1540 menciona entre los cuatro aseguradores que en ella intervienen a un Rodrigo Calderón que muy bien podría ser el abuelo paterno de nuestro favorito [51]. Y perdón si he añadido, *in extremis,* este detalle para engolosinar a mis colegas belgas. Acudo a su indulgencia, para terminar, por presentarles menos trabajo hecho que trabajo por hacer, y ¡ojalá que se convenzan del interés histórico de los Calderón y de los Aranda!

---

[49] Encontramos este proverbio en el *Vocabulario de refranes,* 2.ª ed., Madrid, 1924, pág. 629 b, de G. CORREAS. Cf. F. López de Ubeda, *La Pícara Justina,* L. II, P. II, c. IV, núm. 5 (t. II, pág. 127 en la edición de J. Puyol, Madrid, 1912). El editor cita en su Glosario, *ibid.,* t. III, pág. 187, otro empleo de esta expresión proverbial en el *Entremés de los refranes* (N. B. A. E., t. 18).

[50] Célebres poemas de Quevedo y de Góngora, ambos fechados en 1601 (año del casamiento de Don Rodrigo y de su adquisición de los señoríos «aldeanos» que le venían de su mujer).

[51] J. A. GORIS; *op. cit.,* pág. 634.

5

UNA VISION BURLESCA DE LOS MONUMENTOS DE LEON EN 1602

Hace cuarenta y cinco años, cuando no era yo más que un intruso, muy joven, en los estudios hispánicos, gracias a la confianza de Pierre Paris, éste me inventó una misión que me hizo dar la vuelta a España. Y así fue cómo, en junio de 1916, descubrí, como turista, la ciudad de León y sus monumentos. Tanto la Catedral como San Marcos me encantaron. Pero ¡cuánto me hubiera asombrado, yo, que apenas sabía lo que era un *pícaro,* si alguien me hubiera profetizado que, andando el tiempo, daría testimonio de mi agradecimiento al fundador de la Casa de Velázquez explicando una visión burlesca de aquellos monumentos a través de *La Pícara Justina!* Este libro, aparecido, como sabemos, en 1605, el mismo año que *Don Quijote de la Mancha,* es obra de un médico casi desconocido, el licenciado Francisco López de Ubeda, probablemente de ascendencia andaluza, natural de Toledo y casado en Madrid. Cervantes, algunos años más tarde, se metería con él en su *Viaje del Parnaso,* donde presenta «al autor de *La Pícara Justina*» como uno de los adalides de los invasores y profanadores del Parnaso y parece que lo sitúa entre los satíricos que divierten y adulan a los poderosos [1].

---

[1] La mejor edición, o la más recomendable, de *La Pícara Justina* es la de Julio Puyol (Madrid, 1912, 3 vols., ts. VII, VIII y IX de la colección de la Sociedad de Bibliófilos Madrileños), aunque el «estudio crítico» que abre el tomo III exagera el error de atribución que rechazamos. En lo referente a las relaciones de López de Ubeda con Cervantes nos permitimos remitir al lector al estudio, aquí también publicado, «Urganda entre *Don Quijote* y *La Pícara Justina*», así como, en lo referente a la nueva interpretación

La Pícara Justina es uno de los libros más difíciles del Siglo de Oro y una creación fuera de serie en el sector llamado de la «novela picaresca». Y sucede que sólo porque la heroína pasea a sus anchas su *picardía* por la buena ciudad de León surgió, a partir del último tercio del siglo XVII, la idea que más tarde quedó como acreditada, de que el verdadero autor de la obra no era el médico toledano que la firmaba, sino un joven fraile dominico olvidado de la gravedad monástica, por más señas Fray Andrés Pérez, natural de León. Según esta atribución, los vagabundeos y fantasías de la *Pícara* cuadraban exactamente con la topografía, con los monumentos y con las fiestas tradicionales de León, a donde se supone que llega Justina un 15 de agosto, sólo porque se le ocurrió a aquel dominico adoptar tan travieso disfraz. Además, Fray Andrés, muy apegado a su ciudad natal, había de dedicarle, dieciséis años más tarde, una colección de sermones. La primera objeción grave a esta hipótesis, entre otras inverosimilitudes, está en el espíritu, tan poco filial como religioso, con que la heroína lanza sus impertinencias contra la ciudad de León.

Al considerar pacientemente la cuestión, me di cuenta de que no es del todo inadecuado el relacionar a Fray Andrés Pérez con la génesis de esta obra enigmática y que aquel fraile fue una víctima más de las que sufrieron, de pasada, la ironía del médico humorista López de Ubeda. Además, el libro está, más que salpicado, penetrado de humor médico y lleno de trasparentes alusiones a las preocupaciones de los hidalgos y caballeros de la época. Su misma dedicatoria, aquella clara adulación dirigida al célebre Don Rodrigo Calderón, brazo derecho del omnipotente Duque de Lerma, acaba de situarnos al autor de la obra, como ya invitaba Cervantes a hacerlo, con sus pullas nada leves, entre las gentes que hacen reír a los palaciegos y de las que se sabe que tradicionalmente no estaban excluidos los médicos.

En cuanto a la atención que el autor de *La Pícara* demuestra a la capital leonesa se explica de la manera más fácil del mundo por la crónica de la Corte de Felipe III. El Rey, en

---

de *La Pícara Justina,* puede volver a los tres cursos del Colegio de Francia, aquí también publicados en resumen.

efecto, acompañado por la Reina, a pesar del embarazo de esta última, acaba de hacer, en febrero de 1602, un viaje a León con motivo de la prerrogativa de los Reyes de Castilla y de León de poseer una canonjía en la Catedral leonesa. El soberano, sencillamente, había ido a tomar posesión de su prebenda y ocupar un sitial en el coro de la Catedral, entre los canónigos leoneses [2].

León era entonces una ciudad más bien pobre y muerta, poco hospitalaria en los días de invierno, por lo que los cortesanos sólo conservarían de aquel desplazamiento real un recuerdo nada grato. Y no cabe duda de que López de Ubeda, que sazona sus capítulos leoneses con burlas sólo inteligibles para quien conoce el viaje real, había también tomado parte en esta jornada formando parte del séquito de Don Rodrigo Calderón, o del de algún otro gran señor. Es decir que el conocimiento de León de que da pruebas *La Pícara romera* o peregrina no se debe a una antigua y filial familiaridad con la venerable ciudad, sino que es fruto de una experiencia reciente, turística (como diríamos hoy) y totalmente irrespetuosa.

Si, en nuestros días, es corriente asombrarse ante las «finas intuiciones de arte» consignadas en el libro de López de Ubeda, éste, en realidad, tuvo buen cuidado de caracterizar el talento que derrocha a través de su heroína, diciendo que ésta era «única en dar apodos».

«Apodar» o «motejar» era lanzar pullas punzantes contra un defecto físico, moral o social de una persona, arte cultivado por los palaciegos. Puede ilustrarse con un ejemplo. Don Francesillo de Zúñiga, bufón y cronista burlesco de la Corte del Emperador, para hacer la caricatura del anciano cardenal Cisneros con su hábito y su rostro afilado, decía de él que «parecía galga envuelta en manta de jerga» [3]. Pues

---

[2] La única fuente de este viaje, además de lo dicho en la *Historia de León*, del Padre Risco, O. S. A., Madrid, 1792, y en el t. XXXVI de la *España sagrada* (Madrid, 1787, pág. 145), es Cabrera de Córdoba, en su obra *Relaciones de las cosas ocurridas en la Corte de España desde 1599 hasta 1614*, Madrid, 1857, págs. 129-130.

[3] *Crónica de Don Francesillo de Zúñiga*, en el t. XXXVI de la Biblioteca de Autores Españoles, Madrid, Rivadeneyra, 1885, pág. 9 *b*.

bien, el encanto de las burlas de la *Pícara* sobre León consiste en que toma como blanco no a personas, sino a monumentos y harían falta varias horas para comentarlas todas. Me limitaré, por ello, a traer aquí algo de lo que aquellas páginas difíciles pueden dar a conocer a los historiadores del gusto artístico acerca de lo que sorprende a un hombre de 1600 y a un hombre que procede del sur del Guadarrama, al verse ante la arquitectura gótica o renacentista del norte de España y también lo que pueden revelar a los arqueólogos acerca del estado, en 1602, de monumentos leoneses, algunos de los cuales no existen ya.

La Pícara se aparta irónicamente de la venerable colegiata románica de San Isidoro, panteón de los reyes de la dinastía leonesa, confesando que no le atraía nada aquella antigualla.

En cambio, visita la catedral, que le sorprende con sus torres y chapiteles, así como por sus extensas vidrieras. Para Justina aquella iglesia es como «carroza del día del Corpus adornada de varios gallardetes y banderolas». Lo que le parece más anticuado es el pórtico, semejante a una boca desdentada. En cambio, el resto del edificio lo describe como elegante y alaba mucho la impresión de claridad que produce el templo al entrar en él. Cuando se está dentro aún parece que se está fuera, y no hay allí ninguna sombra que pueda servir a los malhechores que quisieran «retraerse» a ella. Ni siquiera dos traidores de la categoría del frío y la canícula de León podrían cobijarse entre aquellos muros.

Inútil es insistir en la descripción de las fiestas leonesas del mes de agosto, que quizá López de Ubeda no vio nunca, y si, humorísticamente, asocia él en varias ocasiones invierno y verano, es, sin duda, para poder amalgamar su propia experiencia del mes de febrero con la de su *romera,* fingida peregrina de un 15 de agosto. No sólo podía haber oído describir aquellas fiestas, sino que podía leer una copiosa descripción de ellas en el libro del padre Anastasio Lobera, que acaba de aparecer (en 1596) sobre la *Historia de las grandezas de la muy antigua e insigne ciudad y Iglesia de León.*

Parece, en cambio, que es *de visu* como describe el claustro del templo y las diarias idas y venidas de las mozas y mujeres que van «a la fuente de la Regla» a llenar sus cántaros y a charlar, y también de los canónigos que allí van a pasearse. Para López de Ubeda la característica de aquel claustro es que su pavimento, empezado con obras muy costosas, ha quedado sin terminar como le ocurrió a cierto labriego de Zahinos que se había quedado a medio afeitar porque había pedido crédito al barbero para «la paga», y éste, en cambio, había pedido plazos para «la hecha».

El autor de *La Pícara Justina* destaca, maliciosamente, todo aquello, en el aspecto de León, que da la impresión de que aquella decana de las capitales se ha detenido hace algún tiempo en su expansión urbana, decayendo de su prosperidad. San Marcial, la parroquia de donde proceden las *danzaderas* de la fiesta mayor, instituida en recuerdo de la abolición del Tributo de las doncellas a Almanzor, es otro ejemplo de lo mismo. Aquella iglesia, comenzada hacía mucho tiempo «de por amor de Dios» (entiéndase gracias a las ofrendas de los fieles), no se acaba nunca, pero es para que no cese nunca aquel «tan buen amor».

Igualmente, el monasterio de San Marcos, el hermoso monumento plateresco, que había ya sido y que iba a volver a ser residencia y hogar de los freyles de Santiago, aparece también en caricatura expresiva de su estado de decadencia. Los «freyles» estaban desde 1575 en el conventual de Mérida y quizá se hablaba, en la época del viaje real, de su vuelta a León, ya que ésta fue decidida en 1603, entre aquella «jornada real» y la publicación de *La Pícara Justina.* Nuestro burlesco cronista hace decir a su heroína que sus compañeros y compañeras de peregrinación —léase «cortesanos»— se entregan a una especie de concurso de bromas acerca del carácter peculiar de San Marcos, cuya fachada acapara toda la riqueza de la decoración, de modo que el turista que se decide a entrar en el monasterio no ve en él nada interesante, como no sea la sillería de la iglesia.

Cuando uno de aquellos bromistas sugiere que el edificio, por estar tan cerca del río, deben lavarlo muy a menudo y que seguramente «volvieron la haz hacia adentro» para que se seque mejor, ¿no será López de Ubeda el que expresa su propia reacción ante una arquitectura tan distinta del estilo gótico mudéjar de San Juan de los Reyes o del de las viejas sinagogas de Toledo, su ciudad natal, y del propio mudéjar andaluz, cuyas fachadas son siempre severas y sus interiores ricamente decorados? De manera no menos curiosa e indirecta se comentan las esculturas y, en particular, los medallones de alto relieve con personajes masculinos o femeninos de la antigüedad bíblica o pagana y de la Historia de España.

El impertinente médico disfrazado de pícara ignorante finge suponer que son imágenes de santos y que por mirar aquella fachada hacia Burgos, de donde proceden los malos vientos y las epidemias, tal vez «pusieron hacia fuera la imaginería» para purificar el aire, hipótesis sólo contradicha por el existir entre ella algunos medallones de pecadoras.

Otra explicación, no menos chusca, podría ser el que, pues los caballeros de Santiago suelen mudarse a menudo, sus casas, para quedar más acordes con su forma de ser, operaron una mudanza sin cambiar de sitio, con sólo trastocar lo de dentro y lo de fuera.

Lo poco que se nos dice del interior del edificio no es sino una nueva variación sobre el tema satírico de las cosas que quedan sin concluir; y es que los señores santiaguistas tienen un muy buen «medio-claustro con una escalera de Jacob» terriblemente empinada de sus peldaños, que parece hecha adrede «para enseñar a trepar». Y concluye nuestro turista: «Aunque en realidad, no sé bien si esta escalera "agria" o mal madura está en San Marcos o en ese otro monasterio del Señor San Claudio, donde cantan muy recio unos pavos.» En este punto, no me extrañaría que López de Ubeda jugara con ambigüedad entre los auténticos pavos cuyo grito oyeron los aristocráticos turistas de 1602 y unos monjes a quienes moteja malignamente con este remoquete. Sin contar con que López de Ubeda, que tan a menudo toma como blanco a personas de carne y hueso, se encarnizó particularmente con aquel personaje al que él llama Pavón y que era un redomado hipócrita. San Claudio, monasterio reconstruido en tiempo de Felipe II después de un incendio, desapareció por completo en el siglo XIX. Era un convento de benedictinos, cultivadores del canto litúrgico, como aquellos a quienes Erasmo reprochaba «de rebuznar en el coro como asnos».

Y volviendo a la escalera del claustro de San Marcos, digamos que, sin duda, en 1602 no era más que una escalera provisional, por lo que Jovellanos cuando nos describe el monasterio no olvida decir que su hermosa escalera fue construida en 1615 (o sea, trece años después de la visita de Felipe III)[4].

La Pícara, además, menciona elogiosamente la sacristía, «de muy buen yeso con variedad de molduras y medallas». Decoración ésta de estuco bien trabajado (que, según Jovellanos, fue ejecutada por el mismo maestro de obras autor de la fachada: Juan de Badajoz). Esta es una sacristía —dice la Pícara— de la que nadie puede decir que «está hecha *en canto llano*» (chiste musical para decir que no es obra de piedra lisa).

Tampoco la casa de los Guzmanes podía escapar a la atención de Justina, que se dice prometida de Guzmán de Alfarache, rey de todos los pícaros. Aunque sólo fuera por la similitud del nombre, afirma, este palacio ya sería memorable. Ante él pasa nuestra heroína con Bartolo, el estúpido barbero de su pueblo, quien, al ver las dos estatuas de salvajes que flanquean el balcón construido sobre la puerta principal se queda embobado, ya «por la conveniencia bobuna» —comenta Justina—, ya porque los *lanzones* de los heráldicos salvajes parecieron al barbero semejantes a las lancetas con las que le apetecía hacer correr la sangre de sus pacientes. En la fachada de este palacio existe un «epitafio o letrero», como dice Justina, por el que, como buen humanista, se interesa López de Ubeda. De su contenido hace nuestro autor una de sus típicas notas marginales lamentablemente ignoradas por las ediciones modernas al uso: «Non dominus domo, sed domino domus ornanda est.» Este lema que nuestra turista considera «tan verdadero como bravato» se aparta de la letra e incluso del sentido de la inscripción que aparece repartida en dos tarjetas de este modo: «Ornanda est dignitas domo — Non domo dignitas tota quaerenda»[5]. También el curioso visitante se fija en la rica ornamentación de los hierros de los balcones de las dos fachadas en ángulo recto y para evitar la posible discordancia entre la ficción según la cual la Pícara cuenta una peregrinación que ella hizo en su lejana

---

[4] Carta II a Don Antonio Ponz en el t. II de las *Obras,* de D. Gaspar Melchor DE JOVELLANOS (t. L de la Biblioteca de Autores Españoles, Madrid, 1859, págs. 276-280). Relación de un viaje efectuado en 1782.

[5] Comentado en la edición de Puyol de *La Pícara,* la única del siglo XX que da las notas marginales (t. II, pág. 153, y t. III, pág. 314, nota 90).

juventud y el hecho de que los arreglos del palacio eran recientes y contemporáneos del viaje real, López de Ubeda hace decir a su heroína: «Ahora —me dicen— los lienzos de estas fachadas "están muy mejorados y muy ricamente adornados".» Y como hombre que, sin duda, conoce el palacio por dentro, alaba la magnificencia noble y señorial de las amplias salas en las que destacan los hermosos «vigamentos», que son, seguramente, los «artesonados» de los techos. Sin embargo, como tampoco aquí puede faltar un agrio desentono, sobre todo tratándose de escaleras, la Pícara lamenta que le falte a la del Palacio de los Guzmanes «cosa de veinticinco varas de pasamano y dos o tres salseritas de blanco color para afeitar unas desvergonzadas tapias de la caja de la escalera, lo cual, por ser en parte tan notoria y común de aquella casa, hace notable fealdad digna de enmienda».

Hemos guardado para postre un monasterio en el que López de Ubeda se detuvo largamente en el mismo capítulo de «La mirona gustosa», pero sin llegar a nombrarlo, sin duda para mejor divertir así a sus lectores cortesanos e intrigar mejor a los demás. Puyol, interpretando mal las indicaciones topográficas de las idas y venidas de Justina y encaprichado con la atribución del libro a un dominico, creyó que se trataba de Santo Domingo. Yo he llegado a persuadirme de que el innominado monasterio es el de San Francisco, que responde mucho mejor a la localización que entrañan las propias palabras de Justina «junto a la puerta por donde entré en la ciudad», es decir, próximo a la puerta del «arrabal de Santa Ana», por donde nuestra *romera* entró procedente de Mansilla de las Mulas y de Sahagún (el propio Rey en 1602 se detuvo cerca de Sahagún, en el monasterio de Trianos).

Por lo demás, ni el monasterio leonés de los dominicos ni el de los franciscanos existen ya. Lo poco que de ello nos dice Risco, en su *Historia de León,* publicada en 1792, no puede contribuir a informarnos nada acerca del aspecto que ambos monasterios tenían en el momento de la visita real de 1602 (los frailes de San Francisco habían reconstruido enteramente su iglesia en 1790). Pero, en cambio, Risco nos da la solución del enigma y confirma así nuestra identificación basada en la topografía, al decirnos que Felipe III, cuando aquella «jornada de León» (que el licenciado López de Ubeda adapta «a lo pícaro») se alojó precisamente en el monasterio de San Francisco.

Este hecho aclara los humorísticos términos en que la heroína explica que no entró en aquel monasterio, ni siquiera en su iglesia, a pesar de las ganas que tenía: «Quiso mi desgracia que aunque vi la iglesia y el monasterio por defuera, no entré dentro porque jamás pude columbrar ni divisar la puerta de la iglesia, o si la vi, no la conocí.» La puerta que se dejaba ver era tan ofensivo pensar que fuese la entrada, que Justina creyó preferible pensar que allá se entraba por un subterráneo, «como en la ciudadela de Pamplona» o que, como en ciertas fortalezas, el acceso se hacía «por el tejado, con garruchas». Todo antes que por aquella ínfima entrada («tan poca puerta»), vieja, baja, astrosa y estrecha. Y aún añade Justina: «porque pensar que era casa encantada y con puerta invisible es pensar que somos esdrújulos. A lo menos, no podrán decir que aquélla es la puerta de los vicios, sino puerta de las virtudes, pues en la entrada es tan estrecha quan anchurosa después».

Tanta insistencia en la descripción es seguro que no se debe sólo al deseo de ridiculizar la tal puerta como «puerta vieja y chica de una iglesia», según subraya una nota marginal, sino que el autor insinúa que la puerta se parecía «a la puerta de la virtud» (objeto de otra nota) por el hecho de que fueron pocos los viajeros que pudieron encontrarla. ¿Y a qué puerta de la virtud se refiere López de Ubeda? Por un procedimiento que él gusta de emplear, sugiere, sin citarlos, aquellos versículos tan conocidos de la Sagrada Escritura:

Quam angusta porta et arcta via est quae ducit ad vitam, et pauci sunt qui inveniunt eam (Mt VII, 13 y 14), y Lc XIII, 20: *quia multi, dico vobis, quaerent intrare et non poterunt.*

Lo que hay que entender es que muchos cortesanos del séquito real habían querido pasar aquella estrecha puerta para alojarse en el convento al que se hacía el honor de convertir en alojamiento del soberano, y no lo habían logrado. Desde luego muchas de las bromas de aquellos capítulos del libro serían menos desconcertantes si tuviéramos una relación más detallada del viaje real. López de Ubeda, a pesar de no haber entrado él, se empeña en informarnos de algunas curiosidades que encerraba aquel convento. Tuve buen cuidado —dice su heroína— de preguntar a mis compañeros de viaje acerca de lo que habían visto. Parece que allí había un candelabro de Flandes con más de cuarenta y cinco candeleros, distribuidos en tres pisos alrededor de una pirámide de bronce torneado con bolas de bronce y salvajes bien cincelados en los intervalos y en el remate un salvaje bravato, «con unas armas y un nudoso bastón». Los frailes tenían también una media docena de relicarios con cabezas de Vírgenes y tres de ellos bien aderezados «con piedras que fueran preciosas si todo lo que reluce fuera oro». El resto eran unas cajas de madera más bien pobres. Justina, al escuchar la descripción que le hacen sus compañeras, se permite algunas impertinencias que le valen severas reprimendas de un sacerdote. Los frailes parece que eran más joviales porque uno de ellos dice a las visitantes mostrándoles sus disciplinas hechas con varitas de mimbre: «Señoras, ¿quieren una colación?», y una vecina de Justina le contesta: «Padre, yo ayuno, que es hoy viernes.» Lo gracioso para los cortesanos que leían todo esto sabiendo que se trataba de una crónica burlesca del viaje de Felipe III, es que el Rey había llegado a alojarse en San Francisco precisamente el viernes 1 de febrero de 1602 para poder ser recibido con toda solemnidad el sábado 2 en la catedral.

Al dirigirme, como lo hago ahora, a una reunión de arqueólogos e historiadores del arte, apenas pude dar una idea de la complejidad literaria de la concepción de López de Ubeda para dedicarme a analizar al menos lo esencial de su visión burlesca de los monumentos de León en 1602. Me permito insistir en esta fecha precisa de 1602 que, en adelante, será necesario asignar al documento. La creencia, tanto tiempo admitida, de que este libro era obra de un fraile leonés que conocía aquellos monumentos desde su infancia hacía incomprensibles el tono, la naturaleza y el valor de las observaciones que el autor presenta de la ciudad. Desde el momento en que la ficción de aquella «romería», hecha por Justina en los lejanos tiempos de su juventud, se comprende como una fantasía humorística sobre una «jornada real» muy reciente y cuando, bajo un disfraz picaresco y femenino, se descubre a López de Ubeda como el cronista burlesco de aquel viaje, adquirimos por fin la garantía de que son fieles aquellas caricaturas, en la medida en que esta fidelidad era prenda de su éxito entre un público cortesano que había participado en aquel desplazamiento. Entonces estos capítulos de *La Pícara Justina* dejan de aparecer como un boceto impresionista, salpicado de bromas gratuitas y los arqueólogos pueden recuperar así un documento lleno de datos utilizables, con tal que, ayudados por la historia y la crítica literaria, se atrevan a discernir en ellos un estado, bien fechado, de un conjunto monumental, a través de las burlas que dicho conjunto inspira a un humorista casi profesional.

6

¿EN QUE «RIOSECO» ESTABA LA MORERIA DE *LA PICARA JUSTINA*?

El interrogante que encierra este título pone de manifiesto una de las muchas ambigüedades en que abunda *La Pícara Justina* y que nunca hasta ahora merecieron la atención de sus comentaristas.

La heroína del licenciado Francisco López de Ubeda, a quien un inicuo corregidor y sus hermanos han desposeído de su parte en la herencia común, se decide a apelar. «Determiné —dice— irme a Rioseco, a donde estaba el Almirante mi señor, a seguir el pleito en grado de apelación y hacer a derechas el negocio.» Justina se dispone a «contar de pe a pa» «al Almirante su señor» (y de él nada se dirá después) las prevaricaciones del corregidor Jústez de Guevara, a quien —como ella añade— mejor le hubiera convenido el patronímico de Ladrón que otros Guevaras auténticamente nobles llevan con todo honor [1].

López de Ubeda en este punto, como en más de un lugar de su obra (por ejemplo, en el episodio de las desavenencias entre Justina y el licenciado Marcos Pavón) nos hace sospechar que actúa por resentimiento personal contra alguien a quien muchos de sus primeros lectores podían fácilmente identificar. Quizá también lo que pretende es, de pasada, halagar a la poderosa familia de los Almirantes hereditarios (título que, por herencia, acababa de recaer, en 1600, en un niño) y recordar alguna relación de servicio que le ligaría a un difunto almirante de Castilla, don Luis II, muerto en

---

[1] *Ed. cit.*, t. II, pág. 216 (L. III, cap. I).

1596, a don Luis III Enríquez, muerto en 1600. Cuando pensamos que *La Pícara Justina,* dedicada al omnipotente don Rodrigo Calderón, debe de estar plagada de alusiones «cortesanas» (como, por ejemplo, la de que Justina visita León para recordar a los cortesanos su reciente viaje allí en compañía del monarca) es fácil que sospechemos algún doble sentido oculto en las dificultades judiciales que conducen a la litigante a Rioseco.

Así como López de Ubeda no nos pinta a Justina una vez llegada ante «el Almirante su señor», tampoco se preocupa de explicarnos cómo el duque de Medina de Rioseco era «señor» de aquella moza, hija de un ventero de Mansilla de las Mulas. Sin embargo, ello poco importa, y si los capítulos siguientes que el autor consagra a la «Pícara pleitista» transcurren en Rioseco (sin más precisiones), parece que sería natural, al menos a primera vista, el pensar que este Rioseco es Medina de Rioseco, villa ducal de los almirantes de Castilla [2]. Primero parece confirmar esta localización una alusión, desde luego nada clara, a un cierto «arroyo de Berrueces» a propósito de unos cardadores de lana en cuya industria funda Justina un nuevo modo de estafa. Berrueces es un lugar que confina con Medina de Rioseco, a pesar de lo cual Puyol [3] nos confiesa que, consultadas por él algunas personas que han vivido muchos años en la antigua villa ducal, ninguna ha oído hablar de ese «arroyo de Berrueces». (Claro que aquel arroyo, desde el siglo XVII, podría haber cambiado de nombre... o haber desaparecido.)

Y aún aparecen nuevos motivos de perplejidad si hacemos un examen más atento de lo que ahora nos preocupa. Don Benito Valencia Castañeda, al extractar las *Crónicas de antaño* de Medina de Rioseco, menciona un largo pleito de jurisdicción entre Berrueces y la villa vecina [4] sin mencionar

---

[2] En los documentos y en los historiadores de los siglos XVI y XVII (por ejemplo, en Sandoval) se menciona a esta ciudad sólo con el nombre de Rioseco, pero, a pesar de todo, es curioso que López de Ubeda hable siempre en su obra de «Rioseco» *(ob. cit.,* t. II, págs. 216, 219, 223, 225, 253) y nunca escriba la forma completa «Medina de Rioseco».

[3] *La Pícara Justina,* ed. cit., t. III, pág. 320, nota 101.

[4] Benito VALENCIA CASTAÑEDA, *Crónicas de antaño tocantes a... Medina de Rioseco,* Valladolid, 1914, págs. 13 y 21.

para nada el «arroyo». Además, en este libro nada se dice de ninguna industria lanera existente en Rioseco. Sin olvidar, además, que el libro parece indicar que, en aquella época, los duques de Medina sólo vivían excepcionalmente en su buena villa y residían, normalmente, en Madrid. El palacio de los duques en la villa y corte estaba cercano a los lugares en los cuales quería López de Ubeda que pensaran sus lectores cortesanos [5] y, efectivamente, otra precisión de lugar de nuestra obra nos hace pensar en Madrid y no en Medina de Rioseco. El cardador barbudo a propósito del cual se habla del enigmático arroyo de Berrueces habita «junto a San Andrés» y ninguna iglesia de este nombre aparece mencionada en Medina ni por Valencia Castañeda ni por Madoz. Lo único que se conoce en la historia de la villa ducal es una antigua y humilde ermita de San Andrés *extramuros* [6]. ¿Será acaso este lugar el que designa López de Ubeda de forma elíptica tal qeu nos hace pensar en una iglesia parroquial? O, por el contrario, ¿nuestro autor no se valdrá de una ambigüedad, transparente para sus lectores «cortesanos» que acaban de trasla-

---

[5] *Ibid.*, págs. 227-232. El palacio, según MESONERO ROMANOS *(El antiguo Madrid,* t. I, Madrid, 1925, pág. 179), estaba en la cuesta que lleva del Alcázar hacia la Puerta de la Vega. Pero esta localización parece que corresponde realmente a un palacio más reciente que la residencia madrileña de los Almirantes del siglo XVI. Miguel MOLINA CAMPUZANO, en su monumental obra *Planos de Madrid de los siglos XVII y XVIII,* Madrid, 1960, reproduce la preciada «Visita de posadas» por barrios de Pedro Tamayo (1590), que se conserva en la Biblioteca Mazarina de París.

En la descripción del «barrio de la *morería»* madrileña *intra muros,* el visitador menciona que «a las espaldas de las casas del Almirante está el boquerón de la muralla que cae sobre la cava de San Francisco». Molina Campuzano (pág. 89) nota con respecto a este palacio del Almirante: «Creemos se trataría del más importante inmueble de aquel paraje, la antigua casa de los Laso de Castilla, perteneciente después a los Duques del Infantado, que ocupó la manzana luego núm. 130.» En el *Plano topográfico,* de Espinosa, de 1769 (hoja núm. 7 de la reproducción aneja a la obra de Molina Campuzano) se ve que esta manzana 130 está junto a la Puerta de Moros. Acerca del emplazamiento de un palacio que poseyeron en el siglo XVIII los Duques de Medina de Rioseco en otro barrio, véase la misma obra, pág. 793.

[6] MADOZ, *Diccionario geográfico-estadístico-histórico de España,* t. XI, Madrid, 1850, pág. 335 *b,* habla del «despoblado de San Andrés» en su descripción de los alrededores de Medina de Rioseco. VALENCIA CASTAÑEDA, *op. cit.*, pág. 13, menciona, según una «probanza» de 1463, «una ermita... que dicen de San Andrés».

darse de Madrid a Valladolid, persuadido de que sus lectores no dejarán de conocer en la parroquia del cardador de lana la iglesia madrileña de San Andrés, vecina de la «Puerta de Moros», y que identificarían a primera vista «la morería» de Rioseco, donde ocurre todo el episodio, con la de Madrid?

Rioseco no sería mal apodo de la capital del Manzanares, recientemente abandonada por los cortesanos, y de la que tanto se burlaron los poetas satíricos de la época por lo seco de su río. Por lo demás, si realmente lo que se evoca en esta parte de *La Pícara Justina* es un ambiente morisco, conviene advertir que en 1610, cuando la expulsión de los moriscos, aquella medida afecta a 389 personas de Madrid, mientras que Medina de Rioseco no figura en las listas de las ciudades de Castilla la Vieja con moriscos, ciudades que, a veces, fueron muy afectadas por la citada expulsión [7]. Finalmente pensemos en que Justina al hacer referencia a su juicio de apelación, nos habla de la corrupción de los «oficiales de Audiencia» [8]. ¿Hubo «Audiencia» en Medina de Rioseco a comienzos del reinado de Felipe II? ¿No estaría mejor en Madrid? Con mayor seguridad que nosotros sabrán responder a estas dos preguntas los historiadores de las instituciones judiciales de España.

Sobre todo dejemos que opinen, en última instancia, sobre nuestro «Rioseco» los sabios especialistas del urbanismo

---

[7] Según Janer, *Condición social de los moriscos de España,* Madrid, 1857, pág. 317. Otra estadística de Janer (pág. 268), según las listas conservadas en los archivos municipales y parroquiales, no contiene dato alguno sobre ningún morisco de Medina de Rioseco. Varios meses después de haber aventurado yo esta observación según estudios antiguos cuya documentación era muy fragmentaria, la encuentro confirmada por el trabajo de Enrique Lapeyre *Géographie de l'Espagne morisque,* París, 1959, que se basa en una investigación exhaustiva sobre los censos de la época de Felipe II y de las relaciones sobre la expulsión de 1609 a 1614. Sin que estos censos de moriscos puedan considerarse completísimos, no se encuentra en ellos, en lo referente a Medina de Rioseco, ninguna cifra que indique la existencia de un barrio morisco en esta ciudad: siete personas en 1581, ninguna en 1589 (pág. 137). El nombre de aquella localidad no aparece en la documentación analizada por Lapeyre con respecto a la expulsión en el Reino de Castilla.

[8] *Ob. cit.,* t. II, pág. 221.

español medieval [9] y del pasado agareno de Madrid. El bello libro reciente de Jaime Oliver Asín: *Historia del nombre «Madrid»* [10] muestra ya de manera impresionante el papel que en la historia de la aglomeración matritense representó el «arroyo de las fuentes de San Pedro» con las captaciones de agua subterránea o «viajes de agua» que dieron a la capital su fama de ciudad «sobre-agua armada» [11] y probablemente su nombre árabe (magrit) [12]. La «morería» medieval parece que estuvo situada en la parte sudoeste de la «medina», al sur del trazado actual de la calle de Segovia y al oeste de la costanilla de San Andrés. Desgraciadamente, la publicación de los *Libros de Acuerdos del Concejo Madrileño* (1464-1600), emprendida por don Agustín Millares Carlo y por J. Artiles Rodríguez, quedó interrumpida en el tomo I (1932), que no llega más que hasta 1485, y nos faltan documentos accesibles o estudios que permitirían precisar los lugares habitados a fines del siglo XVI por poblaciones que llevaban una vida morisca o que ejercían oficios típicamente moriscos en esta región de Madrid. Pudo localizarse una parte al menos de esta población, y desde luego aquellas industrias que necesitaban agua, a lo largo de la depresión que rodeaba al antiguo muro de la «medina» madrileña por el Este y por el Sur. En tiempo de los Reyes Católicos (1481) concede la ciudad a los curtidores (cuya industria era a menudo practicada por mudéjares, como la albañilería) el uso de las aguas, con el

---

[9] Así me refería en 1960 al llorado Don Leopoldo TORRES BALBÁS, autor de un memorable discurso de recepción en la Real Academia de la Historia (*Algunos aspectos del mudejarismo medieval,* Madrid, 1954), y a su generosidad, a la que tantos preciados datos debía acerca de la historia y del probable emplazamiento de la «morería» madrileña en la Edad Media.

[10] Madrid, 1959. Véase sobre todo la pág. 20.

[11] *Ibid.,* pág. 102. Esta fórmula aparece en un soneto de D. Juan HURTADO DE MENDOZA acerca del lema de Madrid «la Ossaria cercada de fuego y armada sobre agua» (*Buen plazer trobado,* Alcalá, 1550, fol. XXXIX, r.º. Este volumen fue reimpreso en facsímil por A. Pérez Gómez —Cieza, 1956— como tomo V de su colección «El ayre de la almena». Textos literarios rarísimos). En la página precedente se halla cuidadosamente dibujado el emblema que corresponde a esta divisa que asocia el pedernal y el agua. El sílex rodeado de llamas se hunde en una pila, de donde mana una fuente. ¿Habrá sido este emblema el que sugirió a López de Ubeda la asociación del arroyo madrileño con los berruecos?

[12] *Ibid.,* pág. 101.

compromiso de conservar y perfeccionar los conductos [13]. Al noroeste de la antigua muralla, aguas abajo de los Caños del Peral, se han conservado nombres de calles como Mesón de los Paños y Tintoreros, evocadores de una antigua industria textil [14]. Algunos lugares de la depresión citada ya ¿tendrían hacia 1600 aspecto de torrentera que, en virtud del parentesco entre «Berrueces» y «berruecos» inducía a confundir la Medina de los Almirantes con el «río seco» de su nueva residencia? Cabe también la pregunta de si los duques de Medina de Rioseco, en su palacio de Madrid, no tendrían con los moriscos que vivían en la margen opuesta del «arroyo de las fuentes de San Pedro» algún conflicto de vecindad que fue el que evocó para sus familiares el recuerdo del prolongado pleito entre Medina de Rioseco y Berrueces. Quizá los eruditos madrileños encuentren algún día, después de nuevas investigaciones, algún argumento en favor de esta o la otra identificación chistosa. Quizá también algún descubrimiento documental decisivo permitirá situar, sin ninguna ambigüedad, el episodio morisco de la *Pícara* en la villa ducal, haciendo, al fin, desaparecer las dificultades con que actualmente tropezamos. Nosotros no queremos excluir ninguna hipótesis. Si nos inclinamos por la primera es porque el libro de López de Ubeda, falsamente provinciano, nos parece lleno de alusiones a personas, cosas y lugares bien conocidos de los cortesanos de entonces, y también porque nos parece natural que el autor reservara algún lugar en su libro a la ciudad de Madrid, desposeída entonces de la capitalidad, pero en la que él se había casado y donde quizá había también comenzado, antes de 1600, una carrera de médico *factotum* entre los grandes.

Parece ser que los que buscaron en *La Pícara Justina* un testimonio sobre los moriscos de Castilla algunos años antes de su expulsión no vieron más que a la vieja morisca que aloja a la heroína y cuya sucesión ella usurpa [15]. No parecen haber comprendido que Justina, a lo largo de todo el episodio y como consecuencia del tráfico de lana cardada a que se

---

[13] *Ibid.*, pág. 104.

[14] *Ibid.*, lámina XXXI. Plano de Espinosa de los Monteros.

[15] Miguel Herrero García, *Ideas de los españoles del siglo XVII*, Madrid, 1928, pág. 598.

dedica en el barrio de San Andrés, vive en pleno ambiente morisco, pero no por ello está encerrada en una «morería» como aquellas en que estuvieron recluidos los mudéjares, siendo así que en los confines de la antigua «medina» se interpenetraban las poblaciones moriscas y las cristianas. A López Ubeda le gusta lanzar insinuaciones enigmáticas y dejar a los más sagaces de sus contemporáneos que gocen del placer de adivinar el lugar a que él quiere llevarlos. La vieja morisca no aparecerá como tal y como musulmana irreductible sino hasta el capítulo en que el autor la hace que muera. Primero, la «viejecita» es una hilandera como otra cualquiera, sobre todo como otras dos, con las que forma un trío «que según eran enemigas del género humano parecían las tres Parcas». Justina, usurpadora de la herencia de su huéspeda, nos ha de revelar que ésta tenía, entre sus convecinas, varias correligionarias. Ninguna de las tres «Parcas» tendría nada de cristiana.

Y ahora ya es hora de que cojamos, por los cuernos o por las barbas, a la principal dificultad. Se trata de lo que ocurre en el taller de cardadores, en el que Justina va a buscar la lana para las hilanderas, cerca de San Andrés:

«Era el cardador muy barbado, como ellos suelen serlo de ordinario a causa de que el *aceite* y el arroyo de Berrueces tienen el arrendamiento de las barbas de España.»

Tanto el cardador como sus obreros son especialmente amables con Justina cuando cumple con su oficio de buscar la lana para las hilanderas y la vuelve a traer una vez hilada. Agrada la frescura de la tez de Justina cuando se compara con la piel curtida de las «Parcas».

«Los cardadores no dejaban de decirme sus remoquetes, y yo los llevara menos mal si no fuera que aquel *olor del aceite* me daba intolerable fasquía *. Mas decíanme mis compañeras que cuando melindreando decía: "¡Ay, Jesús, con el aceite y qué mal huele", se me ponía el rostro como unas flores.»

También insistirá Justina acerca del sacrificio que le costaba —como les cuesta afrontar los peligros del mar a los

* *Fasquía* (ant.). Repugnancia o hastío. Particularmente: repugnancia que produce una cosa por su mal olor *(N. del T.)*.

mercaderes cuando van en una frágil barca— el atravesar, para hacer aquel lucrativo negocio, «por las *mares del aceite* en compañía de una abominable vieja y unos agaleotados cardantes» [16].

Nada cuesta adivinar que las barbas de aquellos cardadores (de las que tiene su barrio el monopolio) no son sino atributos de moros que aún están cerca del Islam. Los «perailes» figuran en una lista de oficios típicamente moriscos, y Puyol ya adivinó a medias esta parte del enigma [17]. Pero ¿qué significa *aceite* y *olor a aceite* y *peligrosas mares de aceite?*

Nos parece que es otra alusión-adivinanza a la confusa «morería», sin contornos, pero quizá con un doble o triple juego de palabras. En efecto, el aceite intervenía en el humedecer las lanas antes de cardarlas. Las *Ordenanzas para el obraje de los paños* (Sevilla, 1.º de junio de 1511) especifican las cantidades de agua que pueden emplearse por cada arroba de lana «con el aceite que fuere menester» [18]. Este

---

[16] *La Pícara Justina,* ed. cit., t. II, págs. 225-226. En los «versos heroycomacarrónicos» que resumen el capítulo titulado «De la Marquesa de las Motas» leemos:

> *Haec (est) cardatorum barbatorum stafatora.*
> *Haec vetularum et* bruxarum *garduña sutilis;*
> *Inter* azeitatos, *haec est Marquesa Motarum.*
> *Atque inter picaros haec est picara suprema.*

(Sustituimos *brunarum* por *bruxarum* y *azertatos* por *azeitatos,* adoptando estas correcciones, evidentemente felices, de Puyol, *ibid.,* pág. 220.)

[17] *Ibid.,* t. III, pág. 320, nota 101: «como no sea que se refiriese a que era costumbre entre los cardadores el uso de la barba»... El de peraile aparece como uno de los oficios practicados por los moriscos en un parlamento satírico de Luis VÉLEZ DE GUEVARA, *Más pesa el Rey que la sangre y blasón de los Guzmanes* (BAE, t. XLV, 106 *a,* citado por M. HERRERO GARCÍA en *Ideas...,* cit., pág. 608).

[18] Documento citado en Alonso de SANTA CRUZ, *Crónica de los Reyes Católicos,* ed. Juan de Mata Carriazo, t. II, Sevilla, 1951, pág. 165: «y que en la tal lana no pudiesen echar sino medio azumbre de agua en cada arroba, con el aceite que fuere menester». En un romance satírico en el que se habla de los poetas, que, en todas las corporaciones, cantan la vuelta de la Corte de Valladolid a Madrid, un anónimo de 1606 no olvida al «cardador que está escurriendo la aceitera» (Narciso ALONSO CORTÉS, *Miscelánea vallisoletana,* t. I, Valladolid, 1955, pág. 167). La fórmula aquí empleada hace pensar en una alcuza que deja caer el aceite gota a gota sobre la lana para que así se facilite el deslizamiento de los peines.

ingrediente, sin embargo, no es más que un pretexto para el empleo figurado que de la palabra *azeite* hace Justina. Para la Pícara, ello significa, visiblemente, la *morisma,* la zona en que pululan los musulmanes falsamente convertidos y tan amigos del aceite como son refractarios al tocino. Y el chiste tiene en nuestro libro una resonancia singular, ya que Justina, al confesar por sí misma sus orígenes judaicos lo hace aludiendo a su escaso entusiasmo por el «tocino» [19].

En los poetas satíricos de aquella época (en la que el *romancero* morisco, excesivamente popularizado, suscita parodias en las que el tendero morisco se codea con los brillantes caballeros granadinos), se encuentran, como es natural, alusiones a los moriscos mercaderes o consumidores de aceite [20] Así como uno de los oficios típicos de los moriscos era el de fabricante de buñuelos o buñolero y entre las numerosas parodias del romance «Mira Zaide que te aviso / que no pases por mi calle...», Durán encontró ésta en un manuscrito del siglo XVII:

> *Y los propios buñoleros,*
> *aunque son de su linaje,*
> entre el aceite *le avisan*
> *que no pase por su calle* [21]

El *aceite* figura aquí en un contexto perfectamente claro y explícito, pero el modo de hacer de López de Ubeda es otro distinto porque él transforma el *aceite* y el *olor a aceite* que se respira en los barrios moriscos en símbolo de toda aquella casta aborrecida que España pronto va a arrojar de su seno y la asocia, además, con el equívoco «arroyo de Be-

---

[19] *La Pícara Justina,* ed. cit., t. I, pág. 147, donde se habla de la repulsión que el «tocinero» inspira a Justina y la confesión de ésta: «Yo que nunca aguardo a desquitarme al miércoles corvillo» (o sea, «al miércoles de ceniza, para vengarme del tocino»). Cf. pág. 58, en la que se ve la paciencia con que Justina soporta que la traten de «cristiana nueva».

[20] Véase particularmnte el romance de Gabriel LASO DE LA VEGA «Valga el Diablo tantos moros...», *Romancero general de 1600,* oncena parte.

[21] *Romancero general,* B. A. E., t. X, 136 *b.* Véanse los demás textos que M. HERRERO GARCÍA *(Ideas...,* op. cit., págs. 604-605) cita a propósito de los *buñoleros* moriscos.

rrueces» para explicar burlescamente por qué los cardadores son barbudos.

Por último, parece que no puede destacarse la posibilidad de un tercer nivel de significación en el cual se atribuiría a la población morisca unas características sociales comparables con las propiedades físicas del aceite.

No haría falta forzar demasiado a López de Ubeda para hacerlo decir, a él que tanto gusta de los «jeroglíficos» de burlas, que el aceite es jeroglífico de los moriscos en el sentido que no son solamente una mancha, sino que se extienden por España como una mancha de aceite. Entre los empleos figurados de *azeite* que menciona Covarrubias se lee: «Cundir como mancha de azeite, estenderse y comunicarse la infamia entre muchos, como en un linaje.» Los moriscos deportados de Andalucía hacia el centro de la Península después de la rebelión del reino de Granada se habían extendido por muchos lugares de Castilla, y, por otra parte, una de las acusaciones más graves dirigidas a los moriscos cuando fueron expulsados fue su movilidad, su ubicuidad, su importancia como *trajineros* que les permite conspirar a través de una red de canales circulando por todo el país como por capilaridad. *Sutileza del aceite*... Y no nos engañemos. Todo este libro de la obra que se titula «La Pícara pleitista» podría llamarse «La Pícara en la morería», pues Justina conquista en Rioseco la pequeña fortuna con la que untar a los «oficiales de Audiencia», primero con sus modestas ganancias ilícitas en el «mar de aceite», haciendo luego trampas con el peso de la lana que le entregan los cardadores y con el de los hilados que ella les lleva. Todas las víctimas de la «pícara» son moriscos, ya sean barbudos cardadores o «Parcas» hilanderas. Después viene la usurpación de herencia, y morisca es la vieja cuyo «gato» roba Justina, y moriscas las mujeres que saben que ella no es la nieta de la difunta y a las que logra intimidar para que no la denuncien. Sin necesidad de insistir con pesadez en este aspecto esencial de la situación de Justina, los contemporáneos de López de Ubeda lo captan al vuelo y se divierten al ver cómo la *Pícara suprema,* llegada al punto culminante de sus hazañas de juventud, explota a la morisma, «hucha y polilla» de España, como dice Cervantes, al hablar de esas gentes que no piensan sino en «acuñar y guardar dinero acuñado y para conseguirlo trabajan y no comen» [22].

En el episodio de la «morería» reside una de las grandes originalidades de *La Pícara Justina,* libro cuyo autor, procedente sin duda de «cristianos nuevos», era particularmente sensible a todos los problemas heredados de la España de las tres religiones. En cierto sentido, el libro III equilibra al libro I, dominado completamente por la cuestión de la genealogía de Justina y de la impureza judía de su «abolengo». López de Ubeda desahoga las inquietudes de la España de Felipe III, obsesionada y exasperada por las encuestas de «limpieza de sangre» [23] al ofrecerle como diversión esta agria ficción picaresca, en la que una descendiente de judíos hace su agosto explotando a los sobrios y laboriosos hijos del Islam.

---

[22] CERVANTES, *El casamiento engañoso* y *El coloquio de los perros.* Ed. A. G. de Amezúa, Madrid, 1912, pág. 31.

[23] Véase el cap. V del libro de Albert SICROFF *Les controverses sur les «Statuts de pureté de sang» en Espagne du XVe au XVIIe siècle,* París, M. Didier, 1960 («Études de Littérature étrangère et comparée», t. 39). La actualidad del «olor a aceite» habría podido ser acentuada en la Corte en enero y febrero de 1604 con el viaje que el Rey hizo a Valencia y a Denia con motivo de la reunión de las Cortes del Reino en Valencia, región en que era capital el problema de los moriscos. También en Valencia había una iglesia de San Andrés que había sido mezquita y también su gran río estaba medio seco. Pero López de Ubeda no tenía, para hacer aparecer en su libro a esta ciudad de manera así disfrazada, las mismas razones que le hacían elegir como centro a Valladolid, nueva capital, o a Madrid, ex-Corte, o a León, fin de etapa de un viaje regio en 1602. Nuestros últimos estudios realizados en 1959 y 1960 nos han hecho pensar, cada vez con mayor fuerza, que «la real de Mansilla de las Mulas» designa humorísticamente a la real ciudad de Valladolid, como «Rioseco» designa a Madrid.

7

LOS ASTURIANOS DE *LA PICARA JUSTINA*

Está ahora de moda cierta aversión desdeñosa hacia la interpretación histórica de los textos literarios. Esta actitud justifica a ciertos neocríticos y les da licencia para decir de los textos lo que bien les parece. Pero en esto hay un riesgo: el de echar a perder los muy preciosos y necesarios estudios de estilos y estructuras, si sus adeptos se fían demasiado de su intuición y agudeza visual de hombres de hoy, cuando se trata de penetrar el sentido y los valores de una obra literaria de otra época. Para que un análisis formal tenga la solidez y el alcance necesarios, debe partir de un conocimiento histórico serio del vocabulario y de la gramática comunes al autor y a sus contemporáneos, así como de las realidades e ideas, que, tanto a aquél como a éstos, les eran familiares, y del repertorio de formas literarias, más o menos conocidas del público, sobre las que el escritor ejecuta esas variaciones originales que son las que caracterizan su estilo. Y sin que queramos decir en modo alguno que la obra es consecuencia de la vida de su autor, puede, sin embargo, ser útil, si no indispensable, para llegar a la inteligencia de una obra, el procurarse algunas luces previas de la situación del autor y de su público en el seno de la sociedad a la que pertenece.

Si todo esto se requiere, en menor escala, para la apreciación estética de una poesía lírica o de una obra de teatro, se requiere en mayor grado para poder captar el sentido y el estilo de una obra burlesca. ¿Quién podrá, dentro de trescientos años, apreciar el humor de un artículo de *Le Canard*

Enchaîné * si no es capaz de captar todos sus sentidos y dobles sentidos? Y ¿podrá alguien lograrlo si prescinde de las preocupaciones políticas, sociales y literarias del autor y de sus lectores habituales? Un «número» del *Libro de entretenimiento de la Pícara Justina,* cuyo sentido tanto tiempo nos ha tenido equivocados, puede servirnos para mostrar la extrema dificultad de la proyección correcta de la obra sobre su telón de fondo literario y social.

Antes de proceder al análisis de un trozo, opongamos, idea por idea, la concepción errónea de la que partimos a la explicación más satisfactoria a la que hemos llegado sobre la significación de conjunto de *La Pícara Justina,* después de cuatro años de esfuerzos [1].

I

El autor es un fraile leonés, fray Andrés Pérez, que usurpa el nombre del médico Francisco López de Ubeda. Cervantes, al atacarle en el *Viaje del Parnaso,* le da, por ello, aspecto clerical. Disimula su hábito para publicar un pecado de juventud, una obra que él tiene por licenciosa.

La Pícara Justina, a pesar de escoger como heroína de una anodina ficción a una aldeana ingenua y cínica a la vez, no es una novela picaresca. Es la obra de bromas de un estudiante de teología, escrita hacia 1585-1590, inspirada en la literatura de burlas del siglo XVI, aún en boga, más o menos disfrazada al gusto de 1605 para explotar el éxito del *Guzmán de Alfarache.*

II

El autor es, en realidad, el licenciado Francisco López de Ubeda, médico al servicio de poderosos señores como D. Rodrigo Calderón, a quien él dedica su libro, sirviendo a sus amos de secretario factótum y, al mismo tiempo, de bufón. Cervantes estigmatiza tal situación, apellidándole «Capellán lego» de los enemigos de Apolo.

El autor, aprovechando el éxito del *Pícaro Guzmán,* presta su ingenio y su cinismo a una pseudopícara, una falsa aldeana a quien él pasea por peregrinaciones o «romerías» en las que ella ejercita sus talentos de embaucadora.

Las romerías de Justina se fingen para divertir a un público de cortesanos, recordándoles los viajes

* Semanario satírico francés equivalente en cierto modo a nuestra *Codorniz (N. del T.).*

[1] La concepción errónea que resumimos en la columna I, y que es la que, con ciertas reservas, habíamos aceptado antes de emprender nuestras particulares investigaciones, es la que expone Julio Puyol en el tomo III de su edición de la obra del licenciado Francisco López de Ubeda *La Pícara Justina,* en tres volúmenes, Madrid, 1912 (ts. VII, VIII y IX de la colección de la Sociedad de Bibliófilos Madrileños). Las citas se refieren a los tomos I y II.

El principal interés de la obra reside en el realismo con que su enmascarado autor, originario de León, describe su ciudad natal, sus monumentos, sus fiestas, sus costumbres y las de los campesinos asturianos.

Fuera de esto, el libro no tiene argumento ni más razón de ser que la de acumular bromas y juegos de palabras de dudoso gusto hasta el cansancio.

El mal gusto y el artificio arcaizante son también características de la estructura del libro, que se divide y subdivide como un tratado escolástico. El autor nos enumera los libros con los que rivaliza: *Celestina, Momo, Lazarillo, La Eufrosina, El Patrañuelo* y el *Asno de oro.*

También nos nombra al maestro de los juegos verbales en los que se complace: fray Antonio de Guevara. La pedantería de sus jeroglíficos y otras lindezas, subrayadas con notas marginales, no es igualada sino por la ingenua pesadez de su moralismo, que se nos muestra tanto en los «aprovechamientos» con los que se pretende sacar lecciones de cada «número» como en la chabacanería de los versos colocados en cabeza de estos mismos «números», con la pretensión de formar, gracias a su diversidad en formas estróficas, un verdadero «arte poético» ejemplificado.

de la devota Corte de Felipe III. La parte central de la obra no es sino la transposición de una experiencia turística reciente de aquella Corte, y si pasa en León es porque el Rey acaba de trasladarse allí, en 1602, a tomar posesión de la canonjía a la que tiene derecho como soberano del reino de León y Castilla. El resto del libro transparenta a cada momento una sátira bastante feroz de la obsesión genealógica en la que la tiranía de las discriminaciones raciales sumergía entonces a las familias nobles o en trance de ennoblecerse, como la de D. Rodrigo Calderón.

El estilo de esta burla, ambiguo y recargado, está más cerca del «barroquismo» del joven Quevedo que del «manierismo» del siglo anterior. La pedantería de la obra, el homenaje que tributa a sus modelos, son frecuentemente engaños notorios (abuso de los jeroglíficos, falsa referencia a *La Eufrosina,* que, sin nombralos, va dirigida contra fray Andrés Pérez y su *Vida de San Raimundo).* Las burlas del autor, como las de sus heroínas, poseen a menudo el estilo y la agresividad de las burlas de los bufones de la Corte, una de cuyas variedades es la de los médicos «cristianos nuevos» que sirven a los grandes. Chocarrero a rajatabla, utiliza sus «aprovechamientos», notas marginales y argumentos en verso como bajo continuo de falsa seriedad, que puede engañar al profano, pero que, en realidad, trata de hacer mayor el goce de los lectores iniciados.

Incluso después de haber rectificado nuestra idea de conjunto sobre *La Pícara Justina* e incluso después de haber comprendido que las burlas de la heroína sobre la Catedral de León y sus fiestas tradicionales, sobre el convenio «santiaguista» de San Marcos y sobre otro monasterio cuya estrecha puerta nos menciona para callar maliciosamente cuál era su nombre, tienen por origen y, a menudo, por clave el viaje real de febrero de 1602 (viaje que transformó en turistas involuntarios al autor y a sus lectores más prestigiosos), a pesar de todo, no sentíamos entonces la necesidad de desposeer de su interpretación «realista» al episodio titulado: *De los trajes de los montañeses o coritos* (Tercera parte del libro II, cap. IV, núm. 3). Todo el contenido de este «número», empezando por su título, orientaba al lector hacia dicha interpretación; pareciendo centrarse todo el interés en el aspecto externo de los rústicos asturianos de la montaña y de sus esposas, en lo concerniente no sólo al traje, sino a singularidades de su anatomía, de su entonación al hablar y de sus emigraciones. El «turista» López de Ubeda encontró, con ocasión de un desplazamiento a la Corte, a varias cuadrillas de trabajadores agrícolas asturianos que en su migración estacional bajaban con la guadaña al hombro, hacia las tierras paniegas de Castilla la Vieja o volvían a su comarca. Esta experiencia del autor la expresa su mordaz heroína como sigue:

> Estos asturianos encontré en diversas tropas o piaras, con tales figuras que parecían soldados del rey Longaniza o mensajeros de la Muerte de hambre. Lo cual creyera cualquiera que los viera flacos, largos, desnudos y estrujados...
>
> (Ed. Puyol, II, 205.)

Vemos aquí una muestra del realismo burlesco que hace que el autor se asemeje al Quevedo de los *Sueños* y del *Buscón*. Después es blanco de sus ironías el traje de las asturianas, lo extraño de sus tocados de luto, lo pesado de su calzado, y finalmente su fealdad.

Por todo esto era natural ver en aquélla una descripción satírica y barroca de ciertos aldeanos, que iba destinada a la diversión de ciertos aristócratas; una descripción que entroncaba, por su intención, con las cinco *décimas* exclamativas que Góngora consagrará algunos años después a las montañas de Galicia, a su río, a sus guaridas humanas, a las robustas gallegas y a los descalzos gallegos [2]. Visto este «número» con esta clase de óptica literaria, toda su parte central, en la que Justina dialoga con un asturiano burlón, aparece como un intermedio o un adorno «barroco» en el sentido de que toda su comicidad es gratuita, superabundante y liberada de la pesadez de la materia. Y entonces ¿qué importancia pueden tener, si lo que acentuamos es sólo el realismo costumbrista del cuadro, las explicaciones irrealistas y a base de retruécanos con las que el astuto segador entra en el juego de preguntas de Justina acerca del singular aderezo de los asturianos?

La heroína quiere saber dónde está situada aquella «Isla de los Sombreros» y aquella «Isla Pañera» de las que traen a sus casas tantos sombreros y tantas piezas de paño. Y la respuesta es la siguiente:

> Señora, los sombreros se siegan en Badajoz (y aquí hay un juego de palabras con la pabalra *badajos,* o sea, imbéciles), y el paño, en Putasí, digo en Potosí.

Justina se asombra luego de unas «espadillas de madera» que los asturianos llevan al cinto.

La respuesta es ésta: aquellas armas, casi inofensivas, se destinan a combatir la ligereza de ciertas mujeres rebeladas contra la castidad. Contra el corcho, basta la madera. Y si se pregunta en qué «isla» ocurren aquellas cosas, contesta inmediatamente el patán: «en la Isla del Cuerno».

Pues bien: esta respuesta relacionada con las otras nos persuade de que toda aquella conversación de un humorismo a primera vista gratuito, en realidad esconde una intención, sin duda coherente, y puede tener, en dicho contexto, un valor muy distinto del puramente ornamental. Al resolver las tres ecuaciones del problema que plantea este enigmático diálogo, es como hemos llegado a la certeza de que la voluntad de realismo descriptivo no es mejor explicación para este episodio que para el de la visita de Justina a los monumentos de León.

---

[2] «¡Oh, montañas de Galicia!», obra núm. 135, fechada en 1609 en la ed. Millé y Giménez (Madrid, Aguilar, s. f., pág. 345).

La última adivinanza era la más fácil de resolver, dada la frecuencia que, sobre todo en Quevedo [3] tienen las burlas a base del cuerno y de los cuernos. Asimilar esta materia, fácil de tornear y de pulir, con una «madera» no es más que un eufemismo trivial y transparente. En cuanto al trasto que en el atavío de los asturianos, se caracteriza como corta espadilla de palo, su identificación es clara. Ya nos orienta hacia la broma de la «Isla del Cuerno» por poco que, aún en nuestros días, hayamos visto cómo los segadores suelen llevar al cinto esos cuernos o *cuernas* que les sirven de *colodras* en las que guardan, entre hierba húmeda, la piedra de afilar la guadaña.

La «Isla de los Sombreros» y «la Isla Pañera» nos hicieron discurrir algo más. Pero la explicación del enigma, tanto tiempo inasequible, se nos reveló en un abrir y cerrar de ojos cuando recordamos otra burla de López de Ubeda. Es aquella contenida en la frase que el autor presta a la madre de Justina, mesonera y pastelera que fabrica empanadas que engañan no sólo en la calidad, sino en la cantidad de su contenido.

> *... Que las empanadoras somos de la calidad de los reyes que, en haciendo cubrir una cosa, le damos título de grande.*
>
> (L. I, cap. 3, núm. 2. Ed. Puyol, I, 107.)

O sea, que la operación consistente en recubrir de pasta una pequeña cantidad de carne coriácea (grajo o asno), para así elevarla en dignidad, es la misma transfiguración que opera el monarca cuando hace a un caballero «grande» de España diciéndole simplemente: «Cubríos» porque el estar cubierto delante del Rey es privilegio exclusivo de la grandeza. Si partimos de aquí, nos basta sólo con imaginar una aplicación un poco más extensa de esta alegoría del «título de grande» para darnos cuenta de que la Isla de los Sombreros era la propia Corte, que es donde se otorgan los títulos de la nobleza. Y al mismo tiempo descubrimos que el

---

[3] Amédée Mas, *La caricature de la femme, du mariage et de l'amour dans l'oeuvre de Quevedo* (París, Ed. Hispano-Americanas, 1957), págs. 108-111.

paño de que vienen bien provistos los asturianos que regresan a su tierra puede identificarse con el de los *hábitos,* que era como comúnmente se llamaba a los distintivos de las órdenes de caballeros santiaguistas, calatravos o de Alcántara. En resumen: que las tres islas fantásticas no son sino representaciones de la Corte, como feria de vanidades y honores, y la Isla del Cuerno sólo significaba que el honor conyugal en ocasiones puede servir para pagar unos «honores». Basta para ello que el ofendido se defienda de la ligereza de su esposa sólo con esta «espadita de madera», o dicho de otra manera, que acepte el ser «cornudo y contento», y lo más gracioso del caso es que con esta arma rústica lo que se quiere evocar es toda una clase social en cuyo traje entra siempre como componente una espada colgada al cinto.

Admitida como cierta esta solución del problema, el haber elegido a los segadores asturianos como portadores de múltiples símbolos «de los honores» y de la pérdida del «honor», nos aparece dictado no por una sencilla afición a lo pintoresco inherente a las costumbres y a los tipos rurales, sino por un maligno deseo de sugerir, bajo un rústico disfraz, el tema capital de las preocupaciones de los cortesanos de aquella época, o sea el pretender *hábitos* y títulos de nobleza, a través de azarosas «pruebas» genealógicas. Este tema lo ilustrará pronto la difícil ascensión de D. Rodrigo Calderón a los honores de caballero de Santiago, Comendador de Ocaña, Conde de la Oliva y Marqués de Siete Iglesias [4]. Tema que nos lleva al que es fundamental de *La Pícara Justina* si advertimos que Justina, *pícara montañesa,* aldeana falsa, urde una monumental burla acerca de su propia genealogía, insinuando, siempre que tiene ocasión, que sus orígenes son judaicos, coqueteando con el hecho de sus tratos continuos con los moriscos y haciendo trizas sin piedad la pseudo *hidalguía* de aquellos que pretenden su mano, presentando finalmente su matrimonio como de un *hidalgo* con una *hidalga,* cuando se casa con una especie de rufián u *hombre de armas,* jugador incorregible y «amigo de pollitas».

---

[4] Cf. *supra,* «El protector de *La Pícara:* Don Rodrigo Calderón, antuerpiense».

Nos damos cuenta al llegar a este punto de con qué tradición burlesca entronca el poner en tela de juicio a los *asturianos,* como tipos representativos de la minoría de españoles a quienes la *hidalguía* les es reconocida «de oficio». Don Francesillo de Zúñiga, bufón de Carlos V y autor de una *Crónica* burlesca de su Corte, gusta de bromear con el tema de su propia ascendencia judaica [5] y con el de los conversos del mismo origen que se tratan unos a otros de judíos, aunque él, por cómica antífrasis, diga (en vez de «judíos») «*asturianos o vizcaínos*».

> El cual Doctor Villalobos, riñendo un día con Alonso Gutiérrez de Madrid, teniente de contador mayor, entre otras palabras se *llamaban asturianos, vizcaínos,* e llegando yo les dije: «Popule meus, non sint quaestiones inter vos, fratres enim sumus», y visto esto y oído, cesaron.
>
> Este mismo año, don Alfonso Enríquez de Sevilla, de livianos cascos, e Ventura Beltrán, hijo del doctor Beltrán, hubieron batalla en palacio.
>
> Quieren decir algunos contemplativos que hubo entre ellos mojicones, e demás desto se llamaron *asturianos.* Si yo allí me hallara, yo les dijera: «Populus meus, quare rixatis?» [6].

El doctor Villalobos, médico judío converso, se pone en escena a sí mismo en un curioso diálogo con su señor, el Duque de Alba, que le reprocha que, como todos sus congéneres, es rebelde al dogma de la Santísima Trinidad. Villalobos se defiende bien, pero luego, al tratarle de *chocarrero,* o sea de bufón, el médico le replica, a su vez, que gracias a sus *chocarrerías,* él, su paciente, goza de buena salud. Le indica,

---

[5] *Curiosidades bibliográficas,* t. XXXVI de la B. A. E. (Madrid, 1885), pág. 56 *a* («Epistolario», que es continuación de la «Crónica»).

[6] *Ibid.,* págs. 36 *a* y 52 *a* («Crónica»). Los jesuitas, enemigos de la institución de un Estatuto de Pureza de Sangre en su Compañía, llamaban «vizcaínos» con velada ironía a los cristianos viejos, y «gente verriac» (gente *nueva* traduciendo esta palabra del vasco) a los cristianos nuevos (cf. Albert A. Sicroff, *Les controverses...,* op. cit., pág. 277 y nota 55).

luego, un régimen y le prohíbe tomar vino... A lo que el Duque replica en seguida:

¡Cómo se quiso vengar luego el *hidalgo*![7]

Las burlas de «Justina la hidalga», detrás de quien se esconde el médico palaciego López de Ubeda, sólo cobran su fuerza por referencia a esta tradición. Hay pocas dudas de la ascendencia judía de nuestro autor, y si por azar no la tuviera, habría que admitir que se asemeja burlonamente a uno de esos «conversos» médicos y a la vez bufones de los grandes, que reivindicaban con jovial agresividad la ascendencia impura con que los motejaban aquellos que creían que su propia «pureza» estaba por encima de toda discusión.

Quizá se nos diga que no pueden equipararse un escaso y monótono filon de malignos chistes (a los que la *Floresta* califica de «motejar de linaje») y un libro del calibre de *La Pícara Justina.* Y quizá también que es por lo menos atrevido buscar en aquel agrio humor el *primum movens* de esta facecia pseudo-picaresca. Basta con que recordemos, entonces, que la cuestión de la pureza de sangre, lejos de perder su virulencia original a través del siglo XVI, se transforma y se convierte en una verdadera pesadilla para las clases dirigentes precisamente en la época de Felipe III, quizá porque el nuevo Rey prodiga desconsideradamente los honores sin que por ello se satisfagan todas las ambiciones. Una de las primeras decisiones de Felipe IV será la de transformar los estatutos de limpieza para impedir que, en la incesante repetición de las probanzas, se vea puesto, sin cesar, en tela de juicio el honor de los linajes[8]. Por otra parte, cuando López de Ubeda escoge la «hidalguía» y el «abolengo» como temas recurrentes de la novela de su «pícara», no hace sino colocar en el centro de su obra un punto que Mateo Alemán había ya tocado más ligeramente al comienzo de la suya, a propósito del padre de

[7] Idéntico volumen de la B. A. E., págs. 444 *b*-445 *b,* «Diálogo» anejo a los *Problemas de Villalobos.*

[8] Albert SICROFF, *Les controverses...,* op. cit., cap. V, «Vers une réforme des Statuts de Pureté de sang».

su Guzmán [9]. En cuanto a la *Segunda parte*, apócrifa, de *Guzmán de Alfarache*, acaba de dedicar al mismo tema una larguísima digresión.

Y si en efecto el episodio central de *La Pícara Justina* fue concebido, maliciosamente, como una crónica burlesca, indirecta y alusiva, del viaje de Felipe III a León (1602), la idea le pudo ser sugerida a nuestro autor por el de aquella *Segunda parte*, el valenciano Martí, que se ocultaba bajo el pseudónimo de Mateo Luján de Saavedra (1601). Allí vemos a Guzmán llevado por él a su querida ciudad de Valencia so pretexto de otro viaje real, mucho más memorable: el de las bodas de Felipe III con Margarita de Austria (L. II, cap. VII a XI, y todo el Libro III y último). Al tema tan discutido de «Vizcaíno, luego hidalgo», a la pretensión de la «montaña cantabrana» de ser «origen de caballeros de do toda España mana», Martí consagró largas disertaciones que él puso en boca de un lacayo oriundo de Vizcaya llamado Jáuregui, sometiéndolas a la crítica, poco corrosiva, del falso Guzmán de Alfarache (L. II, cap. VIII a X). «Vizcaíno», «asturiano», «montañés» eran otros tantos sinónimos del «hidalgo» por excelencia que no admite que duden de su ascendencia.

Pero volvamos ya a nuestros asturianos segadores de la «Isla de los Sombreros» y de «la Isla Pañera». Solamente las preocupaciones nobiliarias de aquel público a quien pretendía divertir López de Ubeda permiten valorar bien dos pasajes de su obra, cuyo carácter «cortesano» y de actualidad no había escapado a Puyol, aunque resultaban sorprendentes en el contexto de una pintura realista de tipos campesinos. Veamos con qué términos la falsa aldeana de Mansilla de las Mulas engolosina a sus lectores antes de describir los curiosos trajes y los pintorescos personajes con quienes ha topado:

---

[9] Cap. I: los ascendentes paternos del pícaro son banqueros «levantiscos», o sea, oriundos del Levante en el que los sefarditas o judío-españoles ocupaban un lugar importante. Instalados en Génova, son allí «agregados a la nobleza». El padre de Guzmán llama la atención de los sevillanos por su sospechoso comportamiento en misa con una actitud que recuerda la que se reprocha a los «alumbrados». Cautivo en Argel, reniega y se casa con una hermosa morisca, y después, vuelto a España, él mismo se denuncia a la Inquisición.

> Yo gustara de ser una duquesa de Alba, Béjar o Feria —y más ahora que las tres hermanas son las mismas tres Gracias sobre una misma ínclita naturaleza—; quisiera, como digo, ser una duquesa para hacer de estos trajes una tapicería tan costosa como la de Túnez, tan graciosa como la de los disparates y tan fresca como la del Apocalipsis. En fin: fuera tapicería tan varia y de tanto gusto, que su variedad te excusara un Aranjuez, su riqueza unas Indias, su gusto los mil placeres.
>
> (Ed. Puyol, II, 203.)

Así, pues, nuestra «Justina la hidalga», pícara muy conocedora de las alianzas matrimoniales de la grandeza, aspira a igualar con su pintura de los asturianos lo más pintoresco y vistoso de las series de tapices más famosos que eran el orgullo de los palacios reales y que todavía hoy son uno de los tesoros del Palacio de Madrid. Los tapices de la toma de Túnez, como puede verse en el Diario de la Corte llevado por Cabrera de Córdoba, decoraban, en el momento en que López de Ubeda publica su obra, muchas solemnidades dinásticas. Los «disparates» o burlas reproducían las enigmáticas composiciones de Jerónimo Bosco, que tanto deleitaron la vista y el espíritu de Felipe II y del Padre Sigüenza, antes de que encantaran a Quevedo. En cuanto a los tapices del Apocalipsis, tapices flamencos en lana, seda y oro, cuyos cartones fueron encargados a Van Orley para sustituir a una serie más antigua de Van Eyck, era lo más espléndido que la época de Carlos V legó a las colecciones reales.

López de Ubeda, hacia el final de sus descripciones, y como para recordar bien a sus lectores cortesanos la clase de *asturianos* a que se refiere, recurre a subrayar la variedad de «tocados de las asturianas». «En aquella sazón —nos dice— traían todos luto por una persona de la casa real, y era cosa de risa ver los lutos de las asturianas» (Ed. Puyol, II, 208). Se trataba del luto por la Emperatriz María de Austria, viuda de Maximiliano II, muerta el 26 de febrero de 1603, en el convento de las Descalzas Reales de Madrid.

¿Habremos de creer, en vista de lo anterior, que las descripciones de asturianos y asturianas, con las que nos gratifica Justina, hayan de ser tenidas, de punta a cabo, como otras tantas adivinanzas y que cada detalle pintoresco esté elegido en un repertorio de realidades rústicas con el único objeto de disfrazar un aspecto preciso de las modas o costumbres cortesanas? Desde luego que no. Continuando, por cuenta propia, las alusiones al arte de la tapicería, digamos que en lo que López de Ubeda nos hace pensar es en un tapicero de lizo alto que ejecuta sus obras por el revés, sentado detrás de su telar. Así, ciertos contornos, ciertos zurcidos serían más visibles por el reverso que por el anverso del tapiz y corresponderían a los rasgos reveladores del «cartón» que interpreta el tapicero, pero que quedan ocultos a las miradas del profano que visita su taller. Este es el caso de la espadica de «madera» de los segadores, el de la sobrecarga de sombreros y «paño enrollado» de los mismos y también del grotesco tocado de luto que improvisan las asturianas «con una soleta de calza parda presa con dos alfileres sobre el tocado».

No nos es posible dudar de la maligna intención que lleva al autor a sugerirnos a la aristocracia acaparadora de honores y de lucrativas mercedes reales, bajo la apariencia de quellos *montañeses* o *coritos,* de aquellos pobres y secos segadores de piernas desnudas a quienes la chiquillería insolente llama «hijos de la Pernia» cuando bajan de sus montañas hacia tierras más ricas. Era aquella una época aficionada a enigmas y en determinada serie «de enigmas varios» [10], en los que las cosas están representadas por personas, vemos el lecho, *la cama,* que a cualquier hora sirve inocentemente de «encubridora» de las cohabitaciones furtivas de gentes de toda condición (solteras o casadas) personificados por una Montañesa o *corita* con un tocado «rebuelto a la cabeza que le da muchas bueltas, tendida en el suelo como durmiendo». El medicastro López de Ubeda empieza, precisamente, la enumeración de los tocados de las asturianas por «unos tocados redondos que parecían reburojón de trapos de empujo de melecina» [11].

---

[10] Incluida en la *Segunda parte del Romancero general* que Miguel de Madrigal publica en Madrid en 1605, folio 119 r (reimpresa por J. de Entrambasaguas [Madrid, 1948], II, 198).

[11] Ed. Puyol, II, 207. La palabra «empujo», que no vemos en ningún diccionario, designa aquí evidentemente al «saquillo de cuero con un cañuto», al que se llamaba «melecina», como los lavados que servía para administrar

Para López de Ubeda, gran aficionado a «jeroglíficos» de burlas, podría resultar cómico representar las yacijas de ocasión de aquella sociedad corrompida con la mujer más rústica en el atuendo más primitivo.

Es fácil advertir un parentesco de estilo entre esta insulsa adivinanza y la que consiste en hacer de los pobres segadores asturianos una como alegoría de los nobles que sacrifican su honor conyugal para conquistar honores y riquezas. En otro estilo de facecia, podemos explicar el cogote liso de nuestros asturianos braquicéfalos por el hecho de que poseen una cabeza para dos, siendo factible juntar las dos por la parte lisa. En cuanto a su entonación interrogante, da lugar, en primer término, a un juego de refranes. Así, de los asturianos se afirma que hacen preguntas porque «quien pregunta no yerra si no es que pregunte lo otro, que ya me entiendes», es decir, cosas que más valdría no preguntar [12]. ¿Y quién sabe si en todo esto no hay, además, un malicioso recuerdo de los cuestionarios prudentemente orientados que servían de base para las encuestas genealógicas? Pero a renglón seguido nuestro autor añade, como para divertir mejor a costa de los «asturianos» (los cortesanos), a quienes se refiere que «aquellos montañeses»..., como están lejos de la Corte, siempre llevan de acarreo respuestas» [13].

(Ed. Puyol, II, 207.)

(Sebastián de Covarrubias, *Tesoro,* en el artículo *Melecina).* Sin duda, lo que se hacía era rodear el saquillo con un paño para impedir que el líquido se enfriase.

[12] Cuando Justina dice (ed. Puyol, II, 207) «que como tiene fama de que yerran mucho, preguntando siempre puedan decir que quien pregunta no yerra, *si no es que pregunte lo otro, que ya me entiendes»,* piensa no sólo en el proverbio «quien pregunta no yerra», sino en la forma más completa de este refrán: «Quien pregunta no yerra si la pregunta no es necia», o en aquel otro refrán, citado también por G. Correas *(Vocabulario de refranes,* 2.ª ed., Madrid, 1924, pág. 425 *a):* «Quien pregunta lo que no debería, oye lo que no querría.» Con las enigmáticas palabras «que ya me entiendes», nuestro autor invita al lector a pensar en los interrogatorios, tan peligrosos, de las «pruebas» genealógicas. (Véase el documento analizado por A. Sicroff, *Les controverses...,* op. cit., pág. 226, que es tan revelador en lo referente a cómo dirigir la encuesta.)

[13] El humor de la expresión «llevar de acarreo respuestas», en lo que se asimila a las respuestas con una mercancía que se importa a un país en donde no la hay, nos recuerda el humor de las «palabras heladas» de que nos habla Rabelais *(Quart Livre,* cap. LVI).

No hacemos sino iniciar la exégesis de esta broma de dos haces. Además, es de creer que López de Ubeda se divirtió con muchos rasgos que sólo hacen referencia a los rústicos asturianos reales, a sus mujeres, a su físico, a su traje y a sus costumbres. Pero no nos permite perder de vista que Asturias era la cuna histórica e ideal de la nobleza castellana desde el comienzo de la Reconquista y, exagerando su acostumbrada malignidad, hizo a este hecho objeto de sus ironías. Así, después de haber prodigado sus explicaciones físicas acerca de la negra fealdad de las asturianas, concluye:

> Ya sería posible que como Asturias ha sido y será el muro de la Fe y la Herejía tiene por anticristos al Ocio, al Gusto y al dios Cupido, proveyó Dios de estas malas caras porque sin duda, viendo estos caballeros tan malas visiones, se tornaran a la Herejía, su señora, diciendo: «Señora, hay peste; este país no es tierra para nosotros, que no viviremos dos días.» Y con esto dejará la Herejía la jornada y el intento de entrar allí, santo y bendito. Ahora digo que las doy licencia para que sean feas del papa, pues tanto importa.
>
> (Ed. Puyol, II, 209.)

Burlesca manera de volverse atrás, característica tanto de López de Ubeda como de su heroína, que pasan, a menudo, del sarcasmo hiriente a un ditirambo que oculta su veneno bajo un aspecto de palinodia tranquilizadora. Así, el elogio excesivo de los «freyles» de Santiago que hacen (¿o hicieron?) temblar a los infieles parece que sirve para reparar, con su falsa unción, la ironía con que fue maltratado su monasterio de San Marcos de León, cuando, en realidad, lo agrava (Ed. Puyol, II, 140). Del mismo modo, el elogio de los asturianos que fueron (¿o serán?) bastión septentrional de la fe sólo sirve para ridiculizar mejor a sus mujeres, más feas que los pecados capitales y capaces de ponerlos en fuga, al mismo tiempo que envuelve una fría ironía con respecto al lugar común histórico-geográfico sobre el que los cristianos viejos fundan su sentimiento de superioridad.

Si nos hacemos una justa idea de las profundas intenciones que oculta el pseudorrealismo de López de Ubeda, entonces el cómico diálogo entre la insolente Justina y el segador «mozo alegre y de la tierra» nos aparece no como un paréntesis incongruente en el retrato de los asturianos y las asturianas, sino como la revelación del sentido oculto de aquel retrato y de su enlace con el sentido general del libro. Cuando el segador burlón se reúne con sus compañeros, después de haber sufrido satisfactoriamente el interrogatorio de la heroína, ésta concluye así:

> Verdaderamente parecía noble, y sin duda lo sería, que aquella tierra tiene las noblezas a segunda azadonada, dado que los nobles de aquella tierra son ilustre y heroica gente.
>
> (Ed. Puyol, II, 207.)

¿Se trata de la nobleza de un hombre bien nacido obligado a descender a la condición de villano? ¿Se trata de una rústica caballería como la de los Tellos de Meneses y la de otros héroes aldeanos de las comedias lopescas? Covarrubias (en la palabra «noble») nos dice que «comúnmente llamamos hombre noble al que es *hidalgo* y bien nacido». Pero el verdadero asunto de nuestro «número» es más bien la *hidalguía* que reivindica, sin distinción de clases sociales, toda una región que la posee como una capa de agua a flor de tierra que se extiende por todas partes, y es también la clase noble la que reivindica esta *hidalguía* (con razón o sin ella) para poder llegar a los honores.

¿Habrá una intención maliciosa en la ocurrencia de Justina al introducir, después de unas líneas archirrealistas y burlescas acerca del calzado de las asturianas, una extraña alusión a las criaturas que ellas llevan sobre la cabeza, con una agilidad que podría desarrollar en ellos instintos de volteadores o de *aves de caza,* es decir, aves de rapiña bien amaestradas?

> ... porque sus madres los crían en el aire. Y es que van camino ocho o diez leguas y llevan los muchachos en unos cestos o banastos sobre las cabezas; si como los traen en el aire, fuera en el agua, según razón, habían de ser *pescados,* y cerca andan ellos de ello, pues no suelen tener casi nada de *carne*. Verdad es que a ellas les sobra.

Aquí, además del execrable juego de palabras *entre carne* y *pescado* y de la alusión a las lozanas campesinas asturianas, es difícil no darse cuenta de que existe una segunda intención de fisiología burlesca con doble sentido social.

El financiero y humorista marrano Joseph de la Vega, hacia fines del siglo, recordará alegando a Diodoro de Sicilia (II, 58) la invención singular de cierto pueblo primitivo que utilizaba grandes aves domésticas para probar la resistencia de las criaturas haciendo que aquéllas se llevaran a éstas por los aires [14]. Quizá López de Ubeda se acuerde también de Diodoro en lo transcrito o de alguna miscelánea donde también aparezca recogida esta curiosa ocurrencia. Y no puede excluirse el que nuestro autor, resbalando por la pendiente de los jeroglíficos sacados del reino animal, invente este burlesco parentesco contraído por el ser humano, ya sea con las aves o ya sea con los peces, según que sea el aire o el agua el elemento donde se meta al niño. Pero, además, todo el contexto de este «número» invita a que estemos oído atento para poder captar ciertas resonancias sociales irónicas en la fórmula «sus padres los crían en el aire» y en la insinuación de que los asturianos ya, desde muy pequeños, adquieren el instinto de «aves de caza». En la caza de los honores, no lo olvidemos, los hijos de Don Rodrigo Calderón iban a conseguir, cuando aún eran de corta edad, como primeros trofeos de la familia, sendos hábitos de caballeros. Y su caso no era, sin duda, un caso aislado. Es casi seguro, de todos modos, que el aparente salto de lo prosaico a lo fantástico lo que revela es, en realidad, ciertas preocupaciones sociales, como cuando la guadaña de los asturianos se evade de los campos españoles para ir a segar a la «Isla de los Sombreros».

Para poder apreciar la ironía del argumento versificado de este «número» titulado «De los trajes de montañeses y coritos» hay que tener presente la complejidad de significados sugeridos por las palabras de la burlona Justina. Así, la pri-

---

[14] Joseph DE LA VEGA, *Confusión de confusiones* (Amsterdam, 1688, reimpreso en facsímil en Madrid por la Sociedad de Estudios y Publicaciones, pág. 174). En estos ingeniosos diálogos acerca de la especulación bursátil, el erudito «Accionista» compara su papel, en relación con sus interlocutores, al de un ave que acostumbre a los bebés a volar por los aires con las menos caídas posibles.

mera «sextilla» adopta una metáfora diferente de la de los tapices, pero no por ello menos propia para evocar en nosotros la grandeza del tema humilde y vulgar en apariencia; anuncia «un mapa-mundi general de montañeses y asturianos desde el cogote hasta el zapato, montera, sombrero y guadaña». La segunda estrofa es famosa entre los historiadores de la literatura porque habla de *Don Quijote* en 1604, antes de que se pusiese a la venta la edición hoy tenida por «príncipe» de la novela de las novelas.

Soy la reyn-de Picardi-
Más que la rud-conoci-
Más famo-que doña Oli-
Que Don Quixo-y Lazari-
Que Alfarach-y Celesti-

(Ed. Puyol, II, 202.)

En esta «sextilla unísona de nombres y verbos cortados» la quíntuple rima en *i* obtenida por amputación de sílabas finales no es sólo irritante para el oído, sino también para el espíritu, porque coloca en un mismo plano, para aplastarlos bajo la gloria de Justina, «reina de Picardía», no sólo a Guzmán y a Don Quijote, aún de flamante novedad, no sólo al ingenuo Lazarillo y a la diabólica Celestina, sino a Doña Oliva, es decir, al fingido autor de la *Nueva filosofía de la naturaleza del hombre* (Madrid, 1587), pues el médico y licenciado Miguel de Sabuco había transferido la paternidad de este libro a su hija [15]. Justina, a su vez, sirve también de disfraz a

---

[15] Este secreto que los eruditos no rescataron del olvido hasta comienzos del siglo XX no lo era probablemente para su colega, contemporáneo y compatriota López de Ubeda. Justina ya se había referido antes a Doña Oliva en una falsa y engañadora «autoridad» al atribuirle un imaginario «Libro del duelo», que debe ser el mismo *Libro del duelo del género femenino,* al que ya se ha aludido (Segunda Parte del L. II, cap. 3, núm. 4, y Tercera Parte del L. II, cap. 4, núm. 2. Ed. Puyol, II, 117 y 195). Se trata de algo fantaseado que evoca a la vez el célebre tratado sobre el duelo de Girolamo Muzio, traducido al español por Alfonso de Ulloa (Venecia, 1552), y la feminización del autor de un Tratado de Medicina. (Quevedo también se burla entonces en prosa y en verso acerca de este *Libro del duelo,* «alcorán de la valentía», pero cuyas lagunas permiten que los cobardes eludan el duelo. Cf. la edición de QUEVEDO por Astrana Marín, *Obras en prosa* [Madrid, 1932], pág. 18, y *Obras en verso* [Madrid, 1932], pág. 109 *b.)* Pero también

otro médico que también tiene sus puntas y collar de bufón de palacio. Y sólo cuando se han identificado todos los registros de alusiones que toca el Licenciado Francisco López de Ubeda, es cuando se puede intentar situar estilísticamente a *La Pícara Justina* en relación con las «novelas picarescas» antiguas, recientes o futuras, y cuando se puede comprender con qué ironía el padre de la heroína embarca a su hija a bordo de «La nave de la vida pícara», como nos la muestra un grabado de la edición príncipe. De otro modo, con nuestras clasificaciones pedagógicas nos expondremos a falsear las tonalidades de la obra, a conceder a esta criatura literaria de López de Ubeda una ingenuidad que sólo caracteriza, en realidad, a nuestra propia ignorancia [16].

---

le ocurre a Justina (Tercera Parte del L. II, cap. I, núm. 1. Ed. Puyol, II, 146) invocar a Doña Oliva en apoyo de su alegre filosofía que funda en el gusto la «salud, refrigerio y vida». Esto condice a la vez con las profesiones de fe de los médicos «chocarreros» como Villalobos (véase *supra,* n. 7), con la doctrina de las pasiones que expone Miguel SABUCO (bajo el nombre de su hija) en su *Nueva filosofía de la naturaleza del hombre* («Coloquio del conocimiento de sí mismo, Tít. XXIII», «Afecto del plazer, contento y alegría, que es una de las tres columnas que sustentan la vida, salud humana», *Obras escogidas de filósofos,* B. A. E., t. LXV, Madrid, 1873, págs. 342 *b*-343 *b).* Sólo si se entienden estas referencias, verdaderas o falsas (que Puyol, III, 311, nota 86, no ha escrutado del todo), se puede comprender el por qué Justina, «reina de picardía», coloca a «Doña Oli» entre los héroes y las heroínas de libros célebres con quienes rivaliza.

[16] Como ejemplo de los juicios a los que lleva el análisis fallido de Puyol podemos citar estas líneas de un manual que, en general, es útil y juicioso: «En la *P. J.*, el héroe es, como el título indica, una mujer —Justina—, aunque la cantidad de picardía no llega a cogerse ni con unas pinzas bien afiladas. Más que una pícara, Justina es 'un alma de Dios'. Por lo demás, el libro es tan importante filológicamente como despreciable literariamente» (César BARJA, *Libros y autores clásicos,* Vermont, 1929, págs. 326-327).

8

LA PICARESCA. A PROPOSITO DE *LA PICARA JUSTINA*

Aún no hemos acabado de rectificar los errores que una interpretación ingenuamente «realista» de la obra literaria hizo cometer a la historia de la literatura. El autor de estas líneas tiene que reprocharse el haber unido hace tiempo de un modo demasiado simplista el advenimiento literario de los *pícaros* con un fenómeno de «contagio del vagabundeo a casi todo el cuerpo social», con un cambio de rumbo de la historia social en que, una vez enterrado Felipe II, «se diría que con el viejo campeón de la Contrarreforma se hunde toda una fachada de austeridad» en la que «la picaresca consciente y organizada se hace ver y aplaudir» [1].

La irrupción en masa, entre 1598 y 1605, de la «vida picaresca» como materia literaria ha de tener sus razones profundas y extraliterarias. Sin embargo, ¿no nos dejaremos ofuscar por un curioso fenómeno secundario cuando repetimos hasta la saciedad que esta vida, que atrae entonces a un número creciente de españoles, ejercía incluso su irresistible seducción sobre jóvenes de la buena sociedad, como lo hace notar invocando su experiencia el héroe del *Guzmán de Alfarache* apócrifo en 1602?

> Bien lo eché de ver en mi vida picaresca, que muchos hijos de buenos padres que la profesaban, aunque después los quisieron recoger, no hubo remedio, tal es

---

[1] *Le roman picaresque* (Col. «Les Cent Chefs-d'oeuvre étrangers»), París, La Renaissance du Livre, s. d. (1931), págs. 14-17.

> el bebedizo de la libertad y propia voluntad (L. I, capítulo 5)[2].

¿Acaso este embriagador filtro del «haz lo que quieras» es el que encierra todo el secreto de la vida picaresca y del atractivo que tiene para los privilegiados? ¿Acaso no podrían ellos sin «profesarla» liberarse de las trabas que frenan los impulsos naturales? ¿Y qué es, en realidad, esta vida picaresça y su libertad? ¿Es que la vida entera de Guzmán puede llamarse picaresca? En la cita anterior el pseudo «Mateo Luján» se refiere a una fase bien definida de la novela de su predecesor (1599): aquella en que el héroe de Mateo Alemán (Parte 1.ª, L. II, cap. II) «se fue a Madrid y llegó hecho pícaro», como afirma el título del capítulo crucial en el que Guzmán comienza a reflexionar acerca de su nueva vida.

Le han despojado de todo, llega sucio y harapiento:

> Hecho un gentil galeote, en calzas y en camisa, eso muy sucio, roto y viejo.

En el camino ha perdido también «la vergüenza», el respeto humano aprendido en el hogar burgués de su madre, buena y viuda, que le mimaba y que sabía, cuando pecaba, guardar, al menos, las apariencias. La larga acusación a que Mateo Alemán somete entonces a *la honra,* por intermedio de su héroe, tiene como tema central la disociación de las apariencias que sustituyen a la moralidad, o prescinden de ella, y la verdad de una vida moral que identifica a la honra con la virtud. Guzmán no aprende ningún oficio manual. El único «instrumento» de que dispone es «la capacha» de mozo de recados, y ello le acerca, en cierto modo, a la «cofradía de los asnos», que también, como él, transportan fardos. Pero la «libertad» con que ejerce esta ocupación interrumpida por largos ratos de ocio, el aprendizaje de los juegos, el placer de ser cómplice de sus compañeros ya duchos en latrocinios y

---

[2] *La novela picaresca española,* Madrid (Aguilar), 1946, pág. 599 *a.* Este volumen, que tiene la ventaja de reunir numerosas obras, no da un texto seguro. Por eso cuando citamos *La Pícara Justina,* tema principal de estas páginas, remitimos a la edición de Puyol (cf. *supra,* pág. 48), al mismo tiempo que indicamos los capítulos y «números».

otras aventuras, hacen que pronto se aficione a aquel «almíbar picaresco».

> ¡Qué linda cosa era y qué regalada! Sin dedal, hilo ni aguja, tenaza, martillo ni barrena ni otro instrumento más que una sola capacha, como los hermanos de Antón Martín —aunque no con su buena vida y recogimiento—, tenía oficio y beneficio. Era bocado sin hueso, lomo descargado, ocupación holgada y libre de todo género de pesadumbre [3].

Es verdad que el camino del vicio pasa por esta encrucijada. El picarillo puede deslizarse desde la pendiente de la ociosidad a la de la pereza y hacerse ladrón. El ganapán puede convertirse en falso mendigo. Pero también pasa por allí el camino de una libertad filosófica que cura de los tormentos a que se condenan los sedientos de poder o de honores y los obsesionados por el qué dirán. Acerca de todo esto filosofa Guzmán largamente en el capítulo IV del mismo libro. En todas las profesiones, liberales o manuales, «todos roban, todos mienten, todos trampean». En la condición proletaria, la más despreciada de todas, es donde el pícaro —con tal que supiera levantarse a la consideración filosófica de su estado y ejercerlo virtuosamente— podría gozar plenamente de los bienes elementales de la vida, comer y beber hasta saciar el hambre o la sed, en la mejor taberna, gozar del sol o de la sombra, del espectáculo de los festejos públicos, «descuidado de servir ni ser servido» [4]. Por este último rasgo (esencial), el pícaro digno de este nombre se distingue del «mozo de muchos años» con el que la historia literaria le confunde fácilmente.

Hablamos de «condición proletaria» en el sentido romano de la palabra, siguiendo la sugerencia del precioso *Tesoro* de Covarrubias cuando, también él, carga el acento en la miseria vestimentaria del pícaro (pícaro es lo mismo que picaño)

---

[3] *Ibid.*, pág. 301 *a.*

[4] *Ibid.*, págs. 306-308. Esta frase recuerda el caso de un «escudero» feliz porque recobra su libertad y no tiene medios para buscar quien le sirva (Melchor DE SANTA CRUZ, *Floresta española* [1574], reimp. de la Soc. de Bibliófilos Españoles, Madrid, 1953, pág. 263 [X, 36]).

y trata de identificar la situación típica del pícaro mediante una etimología aventurada (asimila la palabra *pica* con el *asta* que señalaba, en la antigua Roma, la subasta de esclavos):

> ... porque en la guerra hincándola en el suelo los vendían *ad hastam* por esclavos. Y aunque los pícaros no lo son en particular de nadie, sónlo de la República para todos los que los quieren alquilar, ocupándolos en cosas viles [5].

El pícaro no es un esclavo, propiedad personal de un amo. Es un hombre que no tiene más que sus harapos y sus brazos, que puede «alquilar» cualquiera en el acto para tareas viles. El pícaro por excelencia, y esto ya hace mucho tiempo que fue así reconocido [6], es, en la edad de oro de su introducción en la literatura, el *ganapán,* y el mozuelo de la *capacha* o de la *esportilla* no es sino una variedad del mismo. Su aspecto desharrapado, comprendido como negación de la preocupación por la decencia del vestir, es expresión a la vez de su condición y de la filosofía que ésta lleva implícita. Es la perfecta antítesis del escudero de *El Lazarillo de Tormes,* preocupado por las apariencas, que quiere vestir bien, tener una casa y un criado, aunque esté vacía la casa y aunque tenga que padecer hambre o consentir que su criado le alimente mendigando, con tal que nadie se entere de ello.

El propio Lázaro aspira, al menos (y lo consigue), a «verse en hábito de hombre de bien» [7], aunque tenga que comprarlo a un ropavejero. Es decir: que no ha descubierto aún la «vida picaresca» y no la conocerá hasta que en la *Segunda Parte,* de 1620, Luna, continuador apócrifo de la obra, le haga resucitar de nuevo. De manera bien significativa, el capítulo (IX) de la continuación, en que Lázaro se hace ganapán, tiene como introducción un sentido elogio de la «vida picaresca».

---

[5] *Tesoro de la lengua castellana* (1611), en la palabra *pícaro.*

[6] Fonger de Haan, «Pícaros y ganapanes», *Homenaje a Menéndez Pelayo,* Madrid, 1899, t. II, págs. 149-190. Estudio memorable acerca de la realidad social de los pícaros según la literatura picaresca y los documentos no literarios de la época.

[7] *La novela...,* op. cit., pág. 110. Tratado VI de *El Lazarillo.*

> Si los ricos la gustasen, dejarían por ella sus haciendas, como hacían los antiguos filósofos, que por alcanzarla dejaban lo que poseían; digo por alcanzarla, porque la vida filósofa y picaral es una misma; sólo se diferencian en que los filósofos dejaban lo que poseían por su amor, y los pícaros, sin dejar nada, la hallan [8].

Un libro tan complejo como el *Guzmán de Alfarache,* de Mateo Alemán, podría disimularnos el fenómeno de la promoción del pícaro a una dignidad filosófica. Si bien la calificación de *pícaro* va unida al nombre del protagonista desde la aprobación de la edición príncipe y figura en la portada de muchas ediciones primitivas, lo cierto es que Mateo Alemán se quejó de que redujesen así el campo de visión de su *Atalaya.* Guzmán nace en un medio de burgueses comerciantes y acaba en galeras, pasando por los más diversos medios, en España y en Italia, desde las cofradías de mendigos fingidos hasta los palacios de cardenales y embajadores, sin perdurar nunca en una profesión útil ni «honrada». Su vida es la de alguien que se descarrió y que lo sabe, siendo de notar que sitúa en su «vida picaresca», en el sentido más preciso de la palabra, el más alto grado de conciencia moral a que ha podido llegar. En virtud de una correspondencia significativa que, sin duda, no dejaron de notar los que hicieron de él el «pícaro» por excelencia, hallamos en el libro III de la Primera Parte, cuando Guzmán se convierte en mendigo profesional, un detenido y halagüeño examen de la condición de los mendigos [9], lo cual hace juego con la toma de posición del héroe ante el estado de esportillero como forma posible de sabiduría y de felicidad. Sólo en este género de consideraciones existe la posibilidad de descubrir el denominador común de obras tan diferentes como *La Vida del Pícaro Guzmán de Alfarache* y su continuación apócrifa, la *Vida del pícaro compuesta por gallardo estilo en tercia rima y La Pícara Justina,* del Licenciado Francisco López de Ubeda. Este fue uno de los primeros en emplear el sustantivo «la picaresca» para de-

---

[8] *Ibid.,* pág. 127, *Segunda parte,* cap. IX, «Cómo Lázaro se hizo ganapán», y el fin del capítulo anterior.

[9] *Ibid.,* pág. 349-351, Parte I, L. III, cap. IV.

signar más que las costumbres el buen humor de los pícaros: «la secta de melancólica», dice el médico socarrón, «es la herejía de la picaresca» [10]. En López de Ubeda, la *burla* es algo frenético y de extraña complejidad. Pero, como vamos a ver, su libro es, entre todos los de esta literatura, el que obliga más imperiosamente a que veamos en él algo más que reflejos fieles o pinturas documentales de un cierto nivel social y a que escrutemos el porqué de una literatura multiforme que tiene como constante la exaltación, más o menos seria, del *pícaro* y su felicidad.

Consideremos, sin detenernos demasiado en sus laboriosos tercetos, *La vida del pícaro,* cuya paternidad no es segura [11]. El autor parece primero que promete una descripción concienzuda de la vida de los ganapanes tomada como materia curiosa. Aborda su tema «como hábil cosmógrafo» (v. 1), que sitúa y mide un país lejano que nunca vio. Pero pronto descubrimos que se trata de una burla literaria ofrecida a cierta Academia (v. 329) de hombres de ingenio sobre tema que ya estaba de moda y suscitaba un florecer de esos graciosos neologismos de los que López de Ubeda va a ofrecernos toda una nueva colección.

---

[10] *Ibid.*, pág. 761 *b. La Pícara Justina,* L. II, P. I, cap. 1, núm. 3 (Puyol, I, 161). El ejemplo que suele citarse del empleo sustantivo es más tardío (CERVANTES, *Novelas ejemplares,* 1613, en «La Ilustre Fregona» dice: «... las almadrabas de Zahora, donde es el *finibus terrae* de la picaresca»).

[11] Véase la edición crítica de A. Bonilla y San Martín en la *Revue Hispanique,* t. IX (1902), págs. 295-330. La edición de Valencia, 1601, hoy perdida, llevaba un apéndice al final: «Las ordenanzas picariles por el mismo autor». Y este autor aparece designado con un cómico pseudónimo que parece un anagrama: «El dichosísimo y bienafortunado Capitán Longares de Angulo, Regidor perpetuo de la hermandad picaril en la ciudad de Mira, de la provincia del Ocio.» Bonilla observa, con razón, que Longares es anagrama de Argensol. Coincidencia esta que tiene tanto peso como las atribuciones, poco seguras, de los manuscritos a Argensola y Liñán. Bonilla se inclina, finalmente, a creer que el autor es un tal Gallegos. Esta fantasía, ya naciese hacia 1600 como consecuencia de la fama de la obra de Mateo Alemán o fuera anterior al *Guzmán* e influyese entonces en su título, es de todos modos un documento literario lo bastante importante como para merecer una reproducción. Modernizamos nosotros su ortografía porque ninguno de los manuscritos que utilizó Bonilla es autógrafo. En el mismo volumen de la *Revue Hispanique* se publican «Huit petits poèmes», de los cuales el número VII, «La vida del ganapán», es exactamente del mismo tono que la *Vida del pícaro* escrita en tercetos.

«De oídas picarizando» (v. 7), el poeta anónimo pide perdón a su musa y finalmente a sus colegas por encanallarlos «en la holgazana picardía» (v. 15). Pero por lo mismo es interesante el observar que también él pretende presentar a los pícaros como maestros de sabiduría.

Oh, vida picaril, trato picaño.
Confieso mi pecado: diera un dedo
por ser de los sentados en tu escaño

(v. 302-304)

El «asiento» de «la vida picaril» es el propio suelo de las calles, en las que el hombre *honrado* no puede sentarse sin perder su fama, como tampoco le es lícito descuidar su traje:

¡Oh, pícaros cofrades!, ¡quién pudiese
sentarse cual vosotros en la calle
sin que a menos valer se le tuviese!

¡Quién pudiese vestir a vuestro talle,
desabrochado el cuello y sin petrina
y el corto tiempo a mi sabor gozalle!

(v. 278-283)

... ¡Oh, pícaros, amigos deshonrados,
cofrades del placer y de la anchura,
que libertad llamaron los pasados!

(v. 287-289)

El tema en el que insiste el poeta consiste menos en la facilidad con que aquellos ganapanes, buenos bebedores y grandes comedores, satisfacen sus más elementales deseos que su indiferencia total ante las exigencias de la moda o la simple decencia vestimentaria. Ni el «recato» (v. 207 y 222), ni la «mesura» (v. 290) ni las demás trabas impuestas por las convenciones sociales les impiden a ellos aprovecharse de «lo que aplace, engorda y asegura» (v. 292). Pero cuando el autor invita al rico a que olvide sus refinamientos e imite al pícaro para encontrar como él el apacible sueño y el contento: «Oh, tú que pisas la morisca alfombra y no puedes dormir en blando lecho»... (v. 215-216), nos parece que asistimos a una renovación especialmente española y barroca de un tema ya manoseado por el Renacimiento hasta agotarlo. El «menosprecio de corte» (entendiendo por «corte» lo mismo la capital que la corte propiamente dicha) tiene ahora como contrapartida positiva, no «la alabanza de aldea», sino la exaltación de la vida picaresca. Y si ello nos hace pensar igualmente en un *Beatus ille,* es a la vez porque la célebre oda de Horacio trata un tema análogo y porque acaba con una nota irónica: el elogio de la vida del campo no lleva al usurero Alfinus a que olvide sus negocios mercantiles. El elogio de la vida picaresca como sabiduría está impregnado de una autoironía más o menos visible, más o menos oculta, en todos aquellos que lo han intentado, La *Vida del Pícaro* en tercetos sugiere la idea de buscar una primera explicación española del éxito, también español, de este tema en la importancia tiránica que caballeros, escuderos e hidalgos daban al atildamiento y a la elegancia. En todas las naciones sin duda pertenece este rasgo a los prestigios de que se valen las clases dirigentes para hacerse «considerar», es decir, hacer que todos reconozcan su rango social. La originalidad de España reside en su innúmera cohorte de hidalgos y escuderos miserables que tenían la pretensión de ser «honrados» a toda costa. Pudiera ser que el elogio irónico del encanallamiento de los «amigos deshonrados» empezara siendo un mero juego de intelectuales arrimados a la alta nobleza, clase menos obsesionada por su «honra» porque era reconocida por todos.

El elogio del pícaro nos guiaría así hasta el meollo de una preocupación que sería menos la de mantener en la sociedad una disciplina y un nivel moral que el afirmar en ella el propio rango y hacerlo reconocer. El éxito de la materia picaresca, que se burla de los prejuicios de la honra externa y social (de la más trivial «honorabilidad») coincide con una afanosa búsqueda de los «honores» que los estatutos de limpieza de sangre convertían en una carrera de obstáculos. La distribución de «hábitos» de Santiago, Alcántara o Calatrava, órdenes que hacían a un hombre «caballero» y le permitían aspirar a un título nobiliario, tenía sus aspectos escandalosos en razón de la facilidad con la cual un hombre rico o sencillamente hábil podía cambiar por testigos *suyos* a aquellos que eran más capaces de descubrir en él una ascendencia judaica o de mercaderes. Otros, en cambio, emprendían la carrera de los honores y terminaban deshonrados. Entre este temor y esta esperanza, toda la España «honrada» vivía sometida al tormento de las encuestas genealógicas. Sobre esta situación funda su burla el sarcástico autor de *La Pícara Justina.* Por una ironía del destino, López de Ubeda dedicó su libro a Don Rodrigo Calderón, omnipotente «brazo derecho» del Duque de Lerma, en el momento en que aquel personaje acababa de rematar una demasiado fácil «información de hidalguía» y creía llegar al puerto del ennoblecimiento. Pero la fama de su abuelo Aranda, comerciante antuerpiense de dudosa «limpieza», ya vimos cómo había de retrasar hasta 1611 su entrada en la Orden de Santiago.

No es posible entender nada de aquella *Pícara* si se supone, como nosotros supusimos por tanto tiempo, que la obra es sólo el retrato más o menos feliz de un tipo real de campesina desenvuelta que bien pudiera haber existido en Mansilla de las Mulas al haberse extendido, hipotéticamente hasta aquel pueblo, la influencia o el contagio de las «mujeres libres» de la Corte. En realidad, este desconcertante tipo de pícaro hembra hay que entenderlo como resultante de un doble disfraz, femenino y picaresco, adoptado por un médico «chocarrero» o bufón en los palacios de los nobles, como ya hemos visto también.

Nuestro autor nos lo deja entrever con bastante claridad cuando, previniendo la acogida que va a tener su obra, imagina varios elogios ambiguos tales como «¡Buena está la *picarada,* señor licenciado!» o «¡Buena está la *justinada!*» [12]. Palabras forjadas por el estilo de *mascarada* o *encamisada,* que servían para designar juegos de disfraces. La realidad se disfraza de mil maneras en este libro, y su «realismo» engañador plantea al lector moderno una serie de enigmas que en 1605 no lo eran en absoluto para el público cortesano. Cuando la falsa «aldeana» de Mansilla olvida su rusticidad convencional y dice, como por juego, que está «avecindada en la Correde-

---

[12] *La novela...,* op. cit., pág. 721. Introducción, núm. 3 (Puyol, t. I, pág. 49).

ra»[13], nos confirma que hay que entenderla en parte como una encarnación de la desvergüenza de las desenvueltas «cortesanas» de Valladolid, a quienes Pinheiro de Veiga representa (más auténticas) en su exactamente contemporánea *Fastiginia* (baste recordar a Doña Ursula). Del mismo modo, Mansilla de las Mulas encubre a Valladolid y existen buenas razones para creer que el «Rioseco» en que se instala la heroína en un medio morisco no es Medina de Rioseco, sino, como ya vimos, un pseudónimo en burla del propio Madrid.

Sin duda ninguna, si Justina ya desde el título de la obra se ve bautizada de *pícara,* es para dar al lector la sensación de que está ante una réplica a la *Vida del pícaro Guzmán de Alfarache.* De aquí la adopción de la forma autobiográfica, la idea de hacer de Justina la prometida —en terceras nupcias— del galeote liberado Guzmán, que ya ha estado casado anteriormente dos veces cuando decide contarnos su vida. López de Ubeda en una de sus innumerables trampas pretende haber escrito su libro «mil años ha», en tiempos de su juventud estudiantil, y haberlo remozado nada más y puesto a la moda del día después del éxito de *Guzmán*[14]. Esto no es más fidedigno que la pretendida referencia de la heroína a la *Eufrosina* («un librito... que leí siendo doncella»), libro bajo el cual se oculta, para algunos iniciados, la recentísima *Vida de San Raimundo* (1601), del dominico Fray Andrés

---

[13] *Ibid.,* pág. 760 *b,* L. II, P. I, cap. núm. 3. Puyol, en el «Glosario» de su edición de *La Pícara Justina,* en tres volúmenes (ts. VII a IX de la Colección de la Soc. de Bibliófilos Madrileños), Madrid, 1912 (t. III, página 147), nos explica: «La Corredera es un barrio de la ciudad de León; el autor juega del vocablo para dar a entender que Justina estaba *corrida.*» Es probable, en efecto, que haya aquí un doble sentido y que Justina dé a entender que estaba «acostumbrada a correrse» [más bien que «corrida»]. Pero López de Ubeda lo que quiere es que, de pasada, confiese, para uso de sus lectores cortesanos, que era una habitante de Valladolid, donde residía la Corte y donde la Corredera era el más hermoso de los barrios nuevos. COVARRUBIAS lo cita en su *Tesoro* (véase la palabra *Corredera),* y también lo describe Dámaso DE FRÍAS (1582) en su *Diálogo en alabanza de Valladolid* (Narciso ALONSO CORTÉS, *Miscelánea vallisoletana,* t. I, Valladolid, 1958, página 264). Puyol no cita ningún testimonio de la existencia de una «Corredera» en León. Sin duda se deja arrastrar en esto por su sistemática explicación de *La Pícara Justina* como libro «leonés».

[14] *La novela...,* op. cit., pág. 707 *a* (Prólogo al lector) y 721 *b* (fin de la introducción) (Puyol, t. I, págs. II y 49).

Pérez (nuestro autor se burla de él, apropiándose sus referencias a textos bíblicos según los cuales Abraham sería el arquetipo de los mesoneros en este mundo y en el otro) [15]. A decir verdad, López de Ubeda no sólo da la réplica, con su obra, a Mateo Alemán, sino también a «Mateo Luján». El que éste (Libro III) conduzca a Guzmán de Alfarache a Valencia para describir las fiestas de las bodas de Felipe III (1599) explica probablemente que a nuestro médico «chocarrero» se le ocurra la idea de explotar la reciente experiencia del viaje real a León (1602) para hacer *La Jornada de León,* episodio central de las aventuras de su «pícara romera».

Todo este episodio fue mal comprendido mientras no se quiso dejar de ver en *La Pícara Justina* la obra de un dominico leonés —precisamente Fray Andrés Pérez—, que había ocultado su personalidad bajo la del médico Francisco López de Ubeda. La realidad, por el contrario, es que dicho médico fue quien, seguro de agradar con ello a los cortesanos, se burló insolentemente de la vieja ciudad de León, del mismo modo que se había burlado de pasada de los comienzos literarios del bendito fraile. No hay duda de que la burla de este médico bufón de palaciegos es complicada, pero así resulta desconcertante si se ve en ella un pecado de juventud de un dominico, o si se quiere buscar en sus páginas un supuesto provincialismo leonés de su pretendido autor, llega en cambio a hacerse coherente y casi comprensible cuando reconocemos que fue escrita para los cortesanos de Felipe III en pleno apogeo del poder del Duque de Lerma y de Don Rodrigo Calderón, a quien aparece dedicado el libro. Cuando la «píca-

---

[15] *Ibid.,* pág. 736 *b* (Puyol, t. I, pág. 92). La semejanza del contenido de este pasaje con una página de la *Vida de San Raimundo de Peñafort* (págs. 174-175) ya había sido advertida por Puyol *(ed. cit.,* t. III, pág. 87), que había visto en ella un argumento entre otros a favor de su tesis de unidad de autor. Pero Puyol no había comprendido la doble burla de que López de Ubeda hace blanco a fray Andrés. No contento con remitir burlonamente a la *Comedia Eufrosina,* libro que no era tan pequeño como él afirma, y donde no existe nada semejante, trata el autor a quien, en realidad, saquea de «escritor monobiblio», aludiendo maliciosamente al final de la epístola dedicatoria de fray Andrés Pérez, quien, al ofrecer su *Vida de San Raimundo* a una su noble protectora, le presenta «este pequeño libro» como su obra primera y expresa su esperanza de publicar otros «calificados con ver dedicado a V. M. este primero».

ra romera», hablando irónicamente de sus descubrimientos en León, dice «mis compañeras y yo», los primeros lectores del médico entendieron «nosotros, que a pesar nuestro, tuvimos que acompañar en su viaje al Rey y a la Reina».

No es posible, en unas pocas páginas, el medir cabalmente el papel representado por el disfraz de cosas e ideas de esta «picarada». Por lo menos, conviene recordar que el episodio de «La romería de Arenillas» ofrece al lector a modo de entremés una clara mascarada «a lo pícaro» introducida en el interior de una obra que podemos calificar de compleja «ficción-mascarada». En ella, Justina se encuentra arrastrada, en efecto, dentro de un torbellino de farsa carnavalesca organizada por ciertos estudiantes «disfrazados de canónigos y arcedianos a lo picaral». De los dos primeros actores de esta farsa, el uno va disfrazado de «obispo de la picaranzona», con su «manteo» clerical hecho jirones, y el otro, llamado «la Boneta», a quien los compañeros fingen raptar, va disfrazado de mujer con un traje hecho de viejos bonetes eclesiásticos. El carácter «picaral» de esta mascarada resulta, a la vez, de estos harapos desabrochados, rotos y sucios y del libre desenfreno de aquellos jóvenes borrachos que cantan y bailan [16]. El achulamiento del disfraz «a lo pícaro» sabemos que encantaba a la Corte el mismo año en que López de Ubeda publicó su libro [17]. Pero su extraña pícara contrasta con sus raptores por su cabeza fría, su astucia y su audacia lo mismo que por su fingida ingenuidad.

Es verdad que ha tenido que aguantar un sucio «manteo» y un gorro mugriento encima de sus lindas galas domingueras (de las que también gustan revestirse algunas damas para divertirse), pero esto no basta para convertirla en otra picaña por el estilo de la Boneta, y en esta ocasión, tampoco su

---

[16] *La novela...*, op. cit., pág. 763, L. II, p. I, cap. I, núm. 4 (Puyol, t. I, pág. 165).

[17] CABRERA DE CÓRDOBA, *Relaciones de las cosas sucedidas en la Corte de España desde 1599 hasta 1614*, Madrid, 1857, pág. 253. Fiesta del día de San Juan en 1605, en la Ventosilla, en la que, bajo la enramada, el festejo nocturno consiste en parodiar «disfrazado a lo pícaro» y «vistiéndose los caballeros de hábito de mugeres y otros de galanes», otra mascarada que tuvo lugar el 13 de junio anterior en el Palacio Real de Valladolid. Parece que el Rey y la Reina se divirtieron mucho en él, sin escandalizarse de que el papel de la Reina lo representara el bufón Alcacerico.

«picardía» le lleva a fraternizar con la «picarada» estudiantil, sino que lo que consigue es una total victoria, digna de una mujer de *rompe y rasga* sobre toda la banda de «pícaros» ocasionales. Ella es quien, para acabar la broma, rapta a sus raptores y los hace bajar a la fuerza del carro de mulas donde a ella la habían forzado a subir. Consigue, con ello, volver en triunfo a su pueblo natal, que, según nuestro humorista autor, se llama, desde entonces, Mansilla de las Mulas, como recuerdo de aquella hazaña.

López de Ubeda, además de replicar a sus antecesores novelistas y a sus *pícaros,* oponiéndoles su *pícara* invencible, ha reivindicado para ella la palma de las estafas y «hurtos ardidosos» [18], que son una de las más gloriosas tradiciones de «la picaresca». Pero además, como Justina es mujer, no puede dejar de presentarse como discípula de Celestina, la cual para los albores del siglo XVII, como para el siglo XVI, era maestra en el arte de despojar a los hombres de su dinero, tanto y más que en el de explotar su sensualidad [19]. A Celestina, en cierto sentido (o quizá mejor a sus indignas émulas) es también a quien escoge por blanco la cínica respuesta de Quevedo en *El Caballero de la Tenaza* (1606). Abre el camino a *La hija de Celestina* (1612), de Salas Barbadillo. Así como en la alegoría náutica de *La Nave de la Vida Pícara,* con que se adorna la edición príncipe de *La Pícara Justina,* la heroína al cantar «Ola que me lleva la ola» [20], aparece sobre la cubierta,

---

[18] *La novela...,* op. cit., pág. 707 *b*. «Prólogo al lector» (Puyol, t. I, página 13). Visto desde este ángulo, todo el género llamado «novela picaresca» podría adoptar como lema esta frase de Justina a propósito de una de sus hazañas: «Lo que ay de culpa, Dios lo perdone; lo que ay de donayre, el lector lo goze» *(ibid.,* pág. 864 *a*. L. III, cap. 4. Puyol, t. II, pág. 244).

[19] La manera como López de Ubeda *ibid.,* pág. 709 *b,* «Prólogo sumario»: «... enredo en *Celestina*», Puyol, t. I, pág. 18) clasifica al famoso libro, colocándolo entre aquellos cuya «quinta esencia» se precisa de haber extraído, es una prueba más de que aquella época apreciaba en *La Celestina* más la intriga entre la vieja y los criados que el drama amoroso entre Calixto y Melibea.

[20] Estas palabras, que pueden leerse en el papel que Justina tiene en la mano, constituyen el primer verso de una «letra» que ya incluyó Pedro de Moncayo en su *Flor de varios romances nuevos* (Barcelona, 1591, fol. 148 v.°). Hay un facsímil de esta obra en *Las fuentes del romancero general* (Madrid, 1600), editadas por Antonio Rodríguez Moñino, t. II, Madrid, Real Academia Española, 1957.

acompañada por la vieja que lanza la disolvente frasecilla: «Andad, hijas». Los pequeños hurtos del Lazarillo y hasta los de Guzmán sólo son juegos de niños comparados con la obra maestra de Justina: la estafa de los dos *agnus*.

Aún en la hipótesis de que López de Ubeda conoció a tiempo la *Segunda Parte* de Mateo Alemán (P. II, L. II, capítulo 8), como para inspirarse en el timo de la falsa cadena de oro, y también en el de *agnus* de oro del capitán (P. I, L. II, cap. 10), demuestra Justina en la «burla» de que hace objeto al bachiller Marcos Méndez Pavón (con todo lo que la prepara y con el duelo epistolar que la comenta) un virtuosismo superior al de Guzmán. Sólo que López de Ubeda nos irrita por la misma complacencia con que la heroína hace alarde de su maestría tanto en el arte de representar la comedia de la ingenuidad y el pudor como en el injuriar a su víctima [21].

También es notable cómo nuestro autor hace la transposición a su estilo de *burla cortesana* de los episodios en que sus antecesores hacen que Guzmán ingrese en cofradías mendicantes de pobres fingidos. Imagina, para ello, que Justina, en su peregrinación a la Virgen del Camino, disimula durante algunas horas sus galas de campesina bajo un manto prestado por una mujer pobre, pidiendo limosna sólo por gusto de engañar al prójimo adoptando los hipócritas gestos de «una pobre vergonzante» [22]. No menos notable y significativo es que en el episodio de Rioseco, en el que Justina se acerca a la condición de obrera, López de Ubeda la imagine con un traje que es también de «pícara pobre, pero no rota» [23]. Justina se disfraza «a lo hilandero», y no es que se convierta en hilandera; lo que hace es servir de intermediaria entre las verdaderas hilanderas y los cardadores moriscos, engañando a unos y a otras. Ya vimos cómo para los españoles de 1605 era un triunfo lucrarse a costa de los moriscos, entonces denunciados como gentes peligrosas por su número, su laboriosidad, su economía y su sobriedad.

---

[21] *La novela...*, op. cit., págs. 791-796 y 800-805, L. II, P. II, cap. II, núm. 2, y cap. III (Puyol, t. II, págs. 45-59 y 70-84).

[22] *Ibid.*, págs. 811-816, L. II, P. II, cap. IV, núm. 3 (Puyol, t. II, páginas 101-104).

[23] *Ibid.*, pág. 857 *a*, L. III, cap. II (Puyol, t. II, pág. 224).

Pero la transformación más original que el médico «chocarrero» imprime a la materia picaresca, ya consagrada literariamente, es la de adornar a su pícara con el epíteto de «montañesa» —que figura, incluso en la portada de la edición barcelonesa de 1605— y el de hacer de esta paradójica calificación un hilo conductor de toda su farsa. No es de extrañar que estos aspectos de la obra hayan proporcionado serios quebraderos de cabeza tanto a Puyol como a todos los que se empeñan en interpretar el libro como obra realista y regional cuando se trata, realmente, de una insolente «burla» cortesana que está relacionada con la tradición de los bufones palaciegos. Estos, desde muy antiguo, estaban curtidos en burlarse de la pretensión común de los nobles de todo nivel de tener su cuna o en las montañas de León o en las de Asturias como, de modo análogo, algunos hidalgos más modestos se gloriaban de ser oriundos de Vizcaya, otra región cuya población no había sido contaminada por moros ni judíos. Y si López de Ubeda, en esto también da la réplica a sus antecesores inmediatos, lo hace, sobre todo, a «Mateo Luján», quien presenta por compañero de Guzmán, durante su viaje a Valencia, a un lacayo de Vizcaya muy celoso de su región y de su «hidalguía». Aquel Jáuregui, cuyos huecos discursos deslumbran a sus compañeros, sostiene la idea, muy corriente entonces de la *hidalguía* inmemorial de las Provincias Vascongadas y de la «Montaña Cantabrana». Pues bien, la pícara de López de Ubeda parece empeñada en poner en duda el axioma «Vizcaíno, *luego* hidalgo» con su burlesco desafío: «Montañesa, *aunque* pícara», que no puede entenderse si se juzga desde el terreno realista del «costumbrismo» o de la geografía humana de España, pero sí ilustra una crisis de sus prejuicios sociales. En esta materia, cuestión candente para tantas vanidades e intereses, los humoristas profesionales habían creado un estilo de ironía y burla indirecta que los cortesanos cogían al vuelo. Ya en la época de Carlos V, el bufón Don Francesillo de Zúñiga, para decir que ciertos personajes se reprochaban mutuamente su ascendencia judaica, afirma, por antífrasis, «que se llamaban asturianos» o «vizcaínos». *La Pícara* de López de Ubeda, so pretexto de describir a ciertos rústicos segadores asturianos, encontrados por ella al volver de León, se burla de la cosecha de honores de que la Corte es escenario para los nobles, y simboliza los *hábitos* de las Ordenes Militares por una extraña acumulación de telas ceñidas al cuerpo de aquellos rústicos y la multiplicidad de *títulos* por una superabundancia de sombreros (el «grande» de España podía cubrirse ante el Rey)[24]. Tanto la defensa de la propia hidalguía como la carrera hacia los honores eran pretexto a burlas y juegos del ingenio que, por entonces, no tenían fin.

Y de aquí la idea de nuestro humorista (agresor que no pintor de la sociedad en que vive) de confundir en una sola persona *pícara*, la condición más despreciada, y *montañesa*, el prestigio de la hidalguía inmemorial. A esta audaz operación alude López de Ubeda cuando bautiza a su libro de *picarada*. Apenas su heroína toma la pluma para escribir sus Memorias, cuando un matraquista al acecho la somete a un ataque cómico *(fisga)*, del que ella sale ridiculizada, entre otros motivos por la sangre judía que corre por sus venas[25]. Sin embargo, la pícara se guarda muy bien de negarla. Una de las provocaciones del libro más curiosas se encuentra en las numerosas páginas que la pícara dedica a su «abolengo»[26]. Puesto que tantos españoles están preocupados por la necesidad de probar que descienden por los cuatro costados de nobleza militar o por lo menos ganada en servicio del Rey, sin que puedan tener tacha alguna de mercaderes o de ascendencia judía, la pícara, siguiendo la jocosa lógica de la «picaresca» que ella encarna, hará por encontrar en su ascendencia los oficios relacionados, de cerca o de lejos, con los placeres y juego,

---

[24] *Ibid.*, págs. 848-851, L. II, P. III, cap. IV, núm. 3 (Puyol, t. II, páginas 202-209). En lo referente a «asturianos» y «vizcaínos» de D. Francesillo, véase B. A. E., t. XXXVI *(Curiosidades bibliográficas)*, Madrid, 1855, páginas 36 *a*, 52 *a* y 56 *a*.

[25] *La novela...*, op. cit., pág. 724 *b*. Las notas marginales puestas por López de Ubeda a su edición príncipe y reproducidas por todas las ediciones anteriores al siglo XIX subrayaban esta burla, tan apreciada por el lector: «Fisga de su abolengo», «Motéjala de christiana nueva» (Puyol, t. I, págs. 57 y 58). En los *Diálogos de apacible entretenimiento*, de Gaspar Lucas HIDALGO (1604), un capítulo (Diálogo I, cap. 4) «contiene chistes que motejan de cristiano nuevo» (B. A. E., t. XXXVI, *Curiosidades bibliográficas*, págs. 289-290).

[26] *La novela...*, op. cit., págs. 729-736. L. I, cap. II, «Del abolengo alegre» (Puyol, t. I, págs. 72-90).

cuanto más vulgares mejor. Y Justina encuentra la manera de mezclar con todo estas alusiones múltiples, diabólicamente disfrazadas, a los disgustos que algunos de sus ascendientes tuvieron con la Inquisición. A todo lo largo del libro, aquella «montañesa» burlesca aprovecha todas las ocasiones que se le ofrecen para insinuar que ella no es de limpia ascendencia, pero sin dejar de presentarse, tranquilamente, como toda una «hidalga». Se burla de la «hidalguía» de que blasonan los pobres diablos que aspiran a lograr su mano y después califica de hidalgo a la especie de rufián con quien se casa. A este propósito vitupera el odio y la envidia con que los villanos persiguen a los hidalgos y entre los primeros coloca a sus hermanos [27]. Su desenvoltura respecto de los prejuicios de linaje llega a un extremo divertido en el episodio de Rioseco, cuando, para apropiarse la herencia de su vieja huéspeda morisca, muerta súbitamente en la impenitencia final y cuyo anticristianismo feroz no ignora Justina, se hace pasar por nieta de la vieja [28]. Lo cual es la exacta antítesis de lo que era entonces corriente: ocultar los ascendientes «impuros», sobre todo aquellos cuyas riquezas uno ha heredado. En fin, si López de Ubeda hace que Justina describa la muerte y los funerales de sus padres mesoneros, con un lujo de innobles detalles que dan náuseas, todo es, sin duda, una sátira de la ferocidad con que, para perjudicar a otro, le desenterraban los difuntos o, para subir socialmente, renegaba uno de sus propios difuntos.

Pero no acabaríamos si quisiéramos enumerar todas las características que hacen de la pícara el vivo desafío a la *honra* tal como la sufría aquella España obsesionada por la hidalguía [29]. Y como, de pasada, hemos señalado la riqueza en

---

[27] *Ibid.,* págs. 880-881. L. IV, cap. IV (Puyol, t. II, págs. 288-289).

[28] *Ibid.,* págs. 861-864. L. III, cap. IV, «De la heredera inserta» (Puyol, t. II, págs. 238-245).

[29] La conclusión que de esta farsa se desprende es que o todo el mundo es *pícaro* o todo el mundo es *hidalgo,* ya que «en España y aun en el mundo no hay sino sólo dos linajes: el uno se llama el tener y el otro el no tener» (*ibid.,* pág. 730 b. L. I, cap. II, núm. 5; Puyol, t. I, pág. 75). Algunos célebres poemas de Góngora y Quevedo, «Dineros son calidad» y «Poderoso caballero es Don Dinero», dan ocasión para traer a colación otra letrilla que trata de los ennoblecimientos fraudulentos, fechada en 1606 y atribuida a Quevedo, que tiene como estribillo: «Pícaros hay con ventura / de los que

cómicos derivados con que lo mismo López de Ubeda que sus antecesores, como para poner de manifiesto el aspecto lúdico de la cuestión, enriquecieron la familia verbal de la palabra *pícaro,* no debemos olvidar el significativo epíteto *apicarada.* Nuestro autor presta a Justina este neologismo para hacer eco en apariencia, a un sentencioso aldeano, amigo de «especies biológicas» o sociales bien definidas, y que decía al posadero Diego Díez, padre de nuestra heroína:

> Señor Díez: acá entre los labradores tenemos por nosotros que el macho, para ser buen macho, ha de ser bien amachado; el caballo, bien acaballado; el burro, bien aburrado, y el labrador, para ser buen labrador, bien alabradorado.
>
> Aquí entró mi padre y dijo:
>
> —Y el mesonero, bien amesonerado.
>
> Aquí entra Justina y dice:
>
> —Y la pícara, bien *apicarada* [30].

La intención de esta burla no se hace del todo clara, si no buscamos más allá de las invenciones verbales atribuidas a los aldeanos, el prototipo real sobre el que se fraguó la palabra. Entonces encontraremos, junto a una formación peyorativa como *asacristanado* [31], la formación laudativa *ahidalgado,* que ya había entrado en el lenguaje corriente hacia casi un siglo [32]. A la opinión corriente en España le gustaba reconocer

---

conozco yo / y pícaros hay que no» (QUEVEDO, *Obras en verso,* ed. L. Astrana Marín, Madrid, Aguilar, 1932, págs. 78-79).

[30] *La novela...,* op. cit., pág. 731 b. L. I, cap. II, núm. 1 (Puyol, t. I, págs. 77-78).

[31] *Ibid.,* pág. 865 *a.* L. III, cap. V (Puyol, t. II, pág. 246) ... «el sacristán más asacristanado que comí en toda mi vida». Y MALKIEL observó, naturalmente, que lo del «labrador bien alabradorado» era el modo más expresivo entre todos para insistir acerca de la genuina naturaleza de un ser humano *(«on the genuine nature of a being»)* en su estudio «The *amulatado* type in Spanish», *The Romanic Review,* oct. 1941, pág. 290.

[32] Los lexicógrafos notan el empleo de esta palabra por Diego GRACIÁN DE ALDERETE, traductor de Plutarco *(Morales,* Alcalá, 1548). Por nuestra parte, hemos notado un divertido uso de la misma en la primera continuación de *El Lazarillo de Tormes* (Amberes, 1555), y con un tono que es ya burlesco: el atún Melo es allí calificado de «muy ahidalgado atún» (B. A. E., t. III, pág. 97 *a).* Bien entendido, López de Ubeda usa de esta palbra, y hagámoslo

en algunos seres una especie de nobleza natural. Don Santob ya compadecía al «hidalgo de natura» que sufre porque tiene necesidad de los villanos [33].

La insolente Justina reivindica para sí misma una *picardía apicarada* natural e inmemorial que sobrepasa, con mucho, a la picardía accidental del joven Guzmán, que se hace *pícaro* sencillamente porque lo ha perdido todo o lo *vuelve a ser* cuando lo despide su amo. También sobrepasa a la de un rufián que *se hace* esportillero porque tiene miedo de encuentros armados con otros hombres de su mismo «medio» social.

Justina se anima a hablar de su propia genealogía en estos términos:

> ... Vean que sois pícara de ocho costados, y no como otros que son pícaros de «quien te me enojó Isabel» [34], que al menor repiquete de broquel se meten a ganapanes, una gente que en no hallando a quien servir, cátale pícaro, y puesto en el oficio, vive forzado y anda triste contra toda orden de picardía. Yo mostraré cómo soy pícara «desde labinición», como dicen los de las gallaruzas [35]: soy pícara de a macha martillo [36].

Pícara *ab initio,* quinta-esencia de «la picaresca», desafío a la sociedad y alarde literario, López de Ubeda apenas oculta que su heroína es un personaje forjado adrede. Parece ella burlarse por anticipado de los críticos futuros que habían de reprocharle el no parecerse a un tipo real. ¿Disminuye este

---

notar, en contextos que implican un matiz de distinción moral («al ahidalgado y sufrido dios de amor»), *ed. cit.,* pág. 757 *a,* L. II, P. I, cap. I, núm. 2; «Es el amor humano, si está en posesión, noble, ahidalgado, manso, apazible, quieto, asentado y reposado» *(ed. cit.,* pág. 876 *a,* L. IV, cap. III. Cf. Puyol, t. I, pág. 149, y t. II, pág. 276).

[33] SANTOB DE CARRIÓN, *Proverbios morales,* ed. I. González Llubera, Cambridge, 1947, pág. 113, v. 799-802.

[34] Primer verso de una célebre canción en germanía puesta en boca de un rufián bravucón. Cf. *Poesías germanescas,* ed. John M. Hill, Indiana Univ. Public., 1945, núm. VII, pág. 29 y nota pág. 225.

[35] El paremiólogo CORREAS *(Vocabulario de refranes,* 2.ª ed., Madrid, 1924, pág. 35) dice que esta curiosa expresión se aplica «a los rústicos», pero confiesa que no puede explicársela.

[36] *La novela...,* op. cit., pág. 731 *b,* L. I, cap. II, núm. 1 (Puyol, t. I, pág. 77).

hecho su alcance histórico? Desde luego, Justina nos obliga a la revisión de nuestras ideas acerca de la génesis y la razón de ser de esta divertida «materia» que se llama «picaresca» y que ocupa un lugar tan importante en los orígenes de la novela realista europea.

La autobiografía —sarcástica y sin tregua— de la *pícara* ofrece una irritante mezcla de realismo y burla. Y lejos de hablarnos de una variedad marginal y aberrante de una baja clase de la sociedad, apunta al mismo centro y denuncia toda la amplitud del malestar español que engendra una literatura nueva. No es indiferente, sin duda, el que el padre de *Guzmán* y el de *Justina* sean ambos *cristianos nuevos,* aunque situados diferentemente en aquella sociedad obsesionada por la imposible meta de la limpieza de sangre. Los libros de ambos autores exigen, para poder ser comprendidos, que los reexaminemos junto con el doble enfoque de sus técnicas literarias y de los problemas sociales de aquellas clase privilegiadas a las que preocupaba el vagabundeo [37].

---

[37] Nuestras propias observaciones, aunque por caminos diferentes, van a coincidir con los puntos de vista de nuestro viejo amigo Américo CASTRO. El había ya dejado muy clara la situación original de los «hispanojudíos» en la sociedad y en la literatura de España *(España en su historia,* Buenos Aires, 1948, cap. X, y *La realidad histórica de España,* México, 1954, capítulos XIII-XIV). Además prolonga su demostración, de manera muy convincente, en su último libro *(De la edad conflictiva, I, El drama de la honra en España y en su literatura,* Madrid, 1961, sobre todo en el cap. I, páginas 64-81: «Honra y limpieza de sangre», y en el cap. III: «Los hispanohebreos y el sentimiento de la honra»). Se ha hecho imposible ocuparse del sentido del honor en la literatura española del Siglo de Oro sin pensar en el drama social de los conversos y en sus repercusiones. También puede leerse con fruto, acerca de este tema, el cap. VII y último del libro de Albert SICROFF, *Les controverses...,* op. cit.

III

HACIA EL PICARO

(Sentido social de un fenómeno literario)

9

LA HONRA Y LA MATERIA PICARESCA

Nuestros estudios acerca de *La Pícara Justina* y acerca de las relaciones entre este relato y la vida de *Guzmán de Alfarache,* tal como la concibieron Mateo Alemán y Martí, nos ha llevado a dudar seriamente de que el género llamado «novela picaresca» sea la sencilla y pura pintura «realista» de clases sociales inferiores en las que pululan vagabundos y delincuentes, con ciertos reflejos de la atracción a la vida errante en los jóvenes de la buena sociedad del Siglo de Oro. Al querer explicar de modo más convincente la irrupción acelerada de los *pícaros* en los libros que los glorifican irónicamente —no sin asociar con ellos, además, otros tipos tratados con o sin ironía—, nos habíamos visto obligados a poner de relieve lo importante de la preocupación de la «honra», externa y social, a la que los pícaros parecen, hacia 1600, llevar la contraria. Tuvimos que analizar, sucesivamente, los múltiples aspectos, a menudo ambiguos, de aquella preocupación y hubimos de ver si ella nos proporcionaba un hilo conductor válido para toda esa literatura cuyo auge corresponde al reinado de Felipe III. Incluso tuvimos que sobrepasar la noción confusa de «novela picaresca» que se ha ido constituyendo empíricamente al agregar a las típicas autobiografías de pícaros la novela, autobiográfica también, de un hombre honrado como el *Escudero Marcos de Obregón* y las más célebres novelas de Cervantes *(Rinconete, La ilustre fregona, La gitanilla, El coloquio de los perros)* o de Salas Barbadillo y de Castillo Solórzano.

Como la materia de esta literatura desborda enormemente

la pintura de las costumbres de los «pícaros» y como no ha sido tratada según una técnica uniforme y con un mismo espíritu, hemos querido nosotros hacer el inventario de los temas y tipos característicos de dicha materia. Y no ha constituido sorpresa alguna el comprobar que algunos de estos tipos fueron llevados a la existencia literaria de una época inmediatamente anterior por ciertos poetas satíricos o festivos. Ya Antoine Adam, acerca del *Francion,* de Sorel *, había afirmado que los antecedentes de esta obra había que buscarlos más en «los poetas satíricos o en los opúsculos que los charlatanes vendían en el Pont-Neuf» que en la literatura narrativa.

Así es como hemos reconocido que tiene valor ilustrativo *La vida del pícaro,* sátira escrita en tercetos que tuvo algún éxito, y lo mismo *La vida del ganapán* (que podemos fechar en 1585) más otros pequeños poemas, algunos de los cuales se recogieron en las recopilaciones anteriores al *Romancero general,* de 1600, y no fueron todos incluidos en él, así como otros que, formando un grupo de ocho poemillas, dichosamente se salvaron en un manuscrito que publicó la *Revue Hispanique* (1902, t. IX, 272 y siguientes). El tema dominante de *La vida del pícaro,* en verso, repetimos, como de *La vida del ganapán,* es el elogio irónico del mozo de cordel caracterizado por sus harapos *(pícaro, picaño),* que lleva con alegría, y que hacen de él la antítesis del hombre *honrado* obsesionado por sus preocupaciones de decencia y de decoro. En esta visión del *pícaro literario* (que podemos considerar como primordial), éste se halla a la vez exento del reproche de delincuencia y aureolado con méritos de filósofo, y a la vez está de acuerdo con la condición de proletario que Covarrubias asigna al pícaro en su *Tesoro.* Ello explica maravillosamente el elogio nostálgico que Guzmán hace de la pura *vida pica-*

---

* Charles SOREL, escritor francés del siglo XVII, es el autor de una novela, *La historia cómica de Franción* (1623), con la que crea la novela francesa de costumbres al tomar sus personajes de las clases sociales que sus predecesores habían despreciado siempre. *[N. del T.]*

Para le enfoque de Adam, véase su introducción a la colección de *Romanciers du XVII*[e] *siècle,* de la «Bibliothèque de la Pléiade», París, Gallimard, 1958, págs. 29-30.

resca, que él practicó en su adolescencia, y el interminable vituperio de la *honra* en que se prolonga dicho elogio. Nos aparece, claramente, que tanto para Mateo Alemán como para Martí, para Luna (continuador de *El Lazarillo*) como para el mismo Cervantes (*La ilustre fregona*), los héroes que se convierten en pícaros conscientes no llevan del principio al fin una «vida picaresca», sino que la auténtica «vida picaresca» emerge de sus existencias ajetreadas como en otras tantas cimas de honradez relativa y de sencillez filosófica, de las que luego se despeñan hasta la delincuencia o hasta las trampas que les tiende la *honra.* Este elogio, que lo es, por mucha ironía que en él quiera verse, del *deshonrado,* hecho para lectores *honrados,* del vagabundo, hecho para personas de la buena sociedad, este elogio —repetimos— es lo que de verás distingue a la materia picaresca fundamentalmente española de las obras que los historiadores de las literaturas francesa e inglesa han calificado como picarescas en sus respectivos dominios. No es posible, además, dejar de ver en ello una de las claves de la significación que tenía tal materia para la España de los hidalgos, preocupados en demostrar siempre su rango por lo elegante de su atuendo y sus modales; era una irrisión simbólica de la honra *externa,* a la cual propendía España, según los moralistas franceses, más que al *honor* internamente experimentado que Rabelais asimila a la conciencia moral. Quevedo lleva hasta lo hiperbólico y lo extravagante en el caso de su Don Toribio y sus compañeros, la farsa de los atavíos *honrados,* pues estos fingidos nobles parásitos, una vez en prisión, pierden instantáneamente sus deleznables ropas, despojados de ellas, con vigor inmisericorde, por sus propios compañeros de cárcel.

Hemos consagrado una lección completa al tema de los pícaros mendigos para demostrar entre otras cosas cómo influyen en él los prejuicios sociales de la *honra.* Lazarillo, como después Guzmán, tenía derecho a mendigar al verse necesitado, pero su amo, el escudero, no lo tenía, como tampoco tenía derecho a andar desaliñado ni a sentarse en el suelo en cualquier esquina. No hemos dedicado mucha atención a las divertidas historias de las cofradías organizadas de mendigos porque dejábamos de lado todo lo referente al «arte de robar», que es no sólo el aspecto más ameno, sino el más internacional de esta materia. Los mendigos organizados son ladrones de limosnas, que se enriquecen y así vuelven la espalda a la filosófica pobreza de los buenos ganapanes. Y de aquí un significativo contraste entre la capa sabiamente remendada del falso mendigo y los despreocupados harapos del pícaro. Desde nuestro punto de vista, eran aún más instructivos los episodios ideados por los más ingeniosos artífices de la materia picaresca para mostrarnos las contorsiones de la mendicidad en lucha con la honra o simulándola. Justina, por ejemplo, disfrazada de «pobre vergonzante» para sacar limosna a los peregrinos de la Virgen del Camino y los falsos caballeros gorrones compañeros del Buscón, que, fingiendo que pedían para los pobres vergonzantes, se ven apaleados por los pobres profesionales, con los que se mezclan a la puerta de los conventos a la hora de la sopa boba.

Pero el vestido y la compostura de las personas *honradas* son sólo un aspecto de su superficie social. Existen múltiples prolongaciones en todos sus signos exteriores de riqueza que definen su tren de vida [1] No es posible comprender gran cosa del *Guzmán de Alfarache* si no se ve en él, además de la denuncia del poder del dinero (tema fundamental de toda la materia picaresca), la sátira de la «honorabilidad» que se basa en el dinero (como si dijéramos: *la honra de Don Dinero).* Si Guzmán, ya niño, estaba «cargado de honra» y lo mismo sus padres (ella, una mujer de vida alegre, y él, un embaucador hombre de negocios), lo estaban de dicha clase de honra: la que consiste en halagüeñas y honradas apariencias que el dinero proporciona a un individuo, que gracias a ellas se afirma en la vida y se enriquece aún más. Mateo Alemán, que también pertenecía a los medios mercantiles, dio una importancia axial a este tema en el destino de su héroe, Guzmán, que llega pobre a Génova y pretende conseguir la protección de un tío paterno, perteneciente a la clase más alta de mercaderes, sólo consigue ser despreciado y tratado del modo más innoble por aquel aristócrata del dinero que se siente deshonrado por un pariente pobre. La revancha que más tarde toma Guzmán sobre su familia genovesa constituye el lazo

---

[1] O, como se dice en la jerga anglicista de hoy, su *standing.*

más ostensible que Mateo Alemán establece entre las dos partes de la novela, ya tituladas significativamente por Jean Chapelain, su primer traductor francés, como *Vida del pícaro* y *Vida del ladrón.* Guzmán, dueño otra vez de dinero, vuelve a Génova con el atuendo preciso para deslumbrar a su familia. Con un arte consumado hace que le reconozcan como pariente, sin que le identifiquen como el adolescente al que su miseria había hecho un indeseable; con hacer que le crean mucho más rico de lo que es se convierte en el buen partido que sus parientes buscan. Entonces dicurre él su más hermosa estafa para vengarse de ellos en dinero y en honra. Guzmán, más tarde, progresará en depravación hasta ostentar con cinismo las más nobles apariencias de riqueza, fingiendo que gasta en obras benéficas, y conseguirá que los pobres hagan cola ante su puerta, para, al cabo de tres horas, hacerles distribuir una mísera limosna. Garantía de distinción social y pseudo-moral que ayuda al estafador rico a cometer todos sus abusos de confianza. Finalmente, hay otra forma de limosna por la que el rico «honrado» afirma su rango social: el distribuir *baratos* o regalos antes de salir del garito, cuando gana en el juego. En cambio, se deshonraría si los aceptara cuando es él quien pierde.

Al abordar el tema de la honra del «escudero» miserable, hemos vuelto a un tema más específicamente español que el de las engañifas del *standing.* Con este personaje anuncia el *Lazarillo* la edad de oro de la materia picaresca, de manera tan decisiva por lo menos como en el propio Lázaro, el «mozo de muchos amos». La feroz agresión de Don Alonso Enríquez de Guzmán, «caballero desbaratado» contra los escuderos y contra su vanidad nobiliaria, la sátira en verso de la *Vida del escudero* marcan ya una agravación irreversible de lo ridículo de este tipo. Luna, continuador de *El Lazarillo,* satirizará con su cruel gracejo el aspecto por el cual estos personajes pretenciosos son, también ellos, «elementos del tren de vida» de ciertos nobles más afortunados. Luna transformará a Lázaro, ya viejo, en un escudero cuyos servicios se disputan y comparten siete pequeñas burguesas de ínfimo nivel. Espinel, en cambio, nos hace ver que la materia picaresca, unificada por sus temas, se diversifica por el ingenio de los autores que la tratan. Su *Marcos de Obregón* constituye, en efecto, una verdadera humanización y rehabilitación de la honra «escuderil». Marcos encarna todas las virtudes del buen escudero; perfecto servidor de los nobles, se inspira en su orgullo matizándolo de filosofía, sin excederse del lugar que le corresponde en la jerarquía de las personas *honradas*. Casi nos atreveríamos a decir de él que es el perfecto anti-pícaro.

En nuestros análisis recientes nos ha parecido oportuno relacionar dos rasgos característicos del destino de los pícaros que nos ha obligado a dar cada vez menos importancia al factor del *hambre* que hace treinta años nos parecía principal o único móvil de estos personajes. 1.º El pícaro nace más bien en la ignominia que en la extrema miseria. 2.º Su cinismo le lleva, más allá de los hurtos y estafas de dinero, a cometer estafas de honra. La ignominia de los padres del pícaro salta a la vista, como tema casi obligatorio en la materia picaresca desde Pármeno y Lazarillo hasta Guzmán, Justina y Pablillos de Segovia. Celestina es quien dice a Pármeno: «Trabaja por ser bueno, pues tienes a quien parezcas.» Y este cruel sarcasmo de Rojas corre a través de toda la literatura picaresca. De aquí nuestro especial interés en considerar el sutil humor con que Cervantes se lo hace afrontar al buen perro Berganza al encontrarse con la bruja Cañizares. Testimonio éste de los diferentes tonos con que un mismo tema puede ser tratado.

Algo no menos característico de los pícaros *deshonrados* desde la cuna, que suben a la cumbre del favor literario en la época de Felipe III, es su insolente usurpación de identidades *honradas*. Pero cualquiera que sea la deuda contraída por Beaumarchais con respecto a la tradición picaresca, el siglo XVIII francés pre-revolucionario tiene que sacar de otras fuentes su reivindicación plebeya de dignidad, que es la que Fígaro hace aplaudir en escena. *El Buscón* de Quevedo se decide enérgicamente a «negar su sangre», y sus «pensamientos de caballero» (el caballero representa, en su vida, un papel simbólico) siempre acaban mal, desde su cabalgada infantil de «Rey de gallos» hasta su caída del caballo bajo las ventanas de Dona Ana. Justo castigo a su descaro. Y es que, después de otras varias estafas de honra, ya se atreve a pretender un matrimonio noble y resulta (colmo de la mala suerte) que sin saberlo ha puesto la mira en la propia prima de su antiguo amo Don Diego Coronel. Entonces se ve que esta aventura ha sido concebida como cima o culminación de toda la intriga novelesca: viene ya preparada, de lejos, por las relaciones de servicio establecidas desde la infancia entre el vástago de los Coronel y el del barbero ladrón y la bruja. La usurpación de estado social, tema que Quevedo trata con evidente predilección y que el autor de *La Pícara Justina* toca, de modo burlesco (la pícara novia), representa un papel importantísimo en la «novela cortesana» de materia picaresca (*La hija de Celestina,* de Salas Barbadillo; *La niña de los embustes* y *Aventuras del bachiller Trapaza,* de Castillo Solórzano).

Convencidos, por nuestros estudios acerca de la materia picaresca, de que ésta tiene como levadura no el interés o la antipatía hacia ciertas clases sociales miserables, sinos los tormentos íntimos de determinadas clases de privilegiados, hemos dedicado nuestras tres últimas lecciones a los temas, que en esta clase de literatura caricaturizan la pesadilla causada por los problemas del honor hereditario, del reconocimiento de la *hidalguía* o de la entrada en la clase social de los *caballeros.* Estos problemas eran de una acuidad crónica para aquellas familias cuyos hijos, candidatos a *honores* o dignidades de cualquier tipo, tenían que hacer y rehacer, una y otra vez, sus pruebas genealógicas para probar la legitimidad de su ascendencia y sobre todo su *limpieza de sangre* (que no podía estar contaminada por ascendientes impuros, moros o judíos). Los aldeanos del *Retablo de las maravillas,* de Cervantes ilustran, de un modo burlesco, esta preocupación. Hemos estudiado, en consecuencia, las genealogías picarescas más significativas por más insistentes. Por ejemplo, la de Guzmán de Alfarache, en la que la ilegitimidad del nacimiento y la confusión del linaje de sus ascendientes, creado todo por la mala conducta materna, conducen al lector, a fuerza de «humor negro», como diríamos hoy, a explicarse cada una de las dos partes que constituyen el nombre del héroe. También son significativas la genealogía de Justina, cuyos elementos impuros estudiamos anteriormente, más que la concepción burlesca del «abolengo alegre», y la del Don Gregorio Guadaña de Enríquez Gómez, que está concebida en tono médico-obstétrico-farmacéutico y reveladora ella también de falta de limpieza. Era fácil demostrar que la sátira de las pruebas genealógicas (¡tan poco de fiar!) era un elemento apreciado de la materia picaresca. No era menos significativa la frecuencia con que aparece en ella el tema de la inmemorial pureza simbolizada por el mito de los *vizcaínos* y los *asturianos,* que pretendían que sus regiones respectivas estaban exentas de toda contaminación por las razas entonces impuras. Estudiado ya, en trabajo anterior, el capítulo de los asturianos en *La Pícara Justina,* nos hemos fijado ahora en el dicho: «*vizcaíno, luego hidalgo*», tan pesadamente comentado en el Guzmán apócrifo. Pero ha sido interesante también el analizar, en el escudero Marcos de Obregón (como en el *Cautivo* de Cervantes) el orgullo de la ascendencia *montañesa* que en ambos personajes nada tiene de caricaturesco. Además, hemos podido mostrar que los *villanos* tan sarcásticamente tratados por Justina (como también por Mateo Alemán), y a quienes los entremesistas toman a chacota, constituyen la variedad cómica por excelencia de los españoles que aspiran a ser *puros* por definición y que, en este terreno, se atreven a desafiar a los hidalgos. Por algo la Pícara Justina se dice, con todo atrevimiento, *hidalga* y *montañesa.*

Por último, hemos tratado de localizar en la materia picaresca la presencia de las castas impuras y examinado, de pasada, el caso de los gitanos, así como hemos recordado la interpretación, expuesta anteriormente, de la *morería* de *La Pícara Justina,* y analizado el enfrentamiento de Marcos de Obregón con el morisco renegado que lo captura, cuando éste explica su apostasía por la discriminación intolerable de que había sido víctima y Marcos aboga por los Estatutos de limpieza de sangre, lo cual constituye la única mención tan directa de este candente tema al que aluden tantos escritores y que Martí hace que aborde su Guzmán con toda seriedad y con circunloquios nada equívocos en el Libro I, cap. 8. La impureza que trae consigo la ascendencia judaica es objeto de sarcasmos, más o menos disimulados y esporádicos, en Quevedo y Salas Barbadillo, quienes parecen participar en una corriente de antisemitismo cortesano que aún está de manifiesto en el autor del *Estebanillo González.* Mateo Alemán, oriundo de *cristianos nuevos,* hace que su héroe confiese también su tacha original, sin insistir en ella ni disociar este tema del de la infamia del padre. López de Ubeda, que era, con casi toda seguridad, de origen judío, presta a su heroína una impureza judía de la que ella hace mofa con gran naturalidad y siempre que puede. Hemos estudiado también el *Siglo Pitagórico,* de Enríquez Gómez, autor refugiado en Rouen, y cuyo «marranismo» acaba de ser irrefutablemente demostrado. Si llevamos a su contexto la vida de *Gregorio Guadaña* (único episodio de esta novela de «transmigración», que se ha reeditado modernamente), si damos su valor total, en los episodios perdidos de vista, a las invectivas contra los nobles infatuados por su ascendencia y contra los *malsines* o denunciadores profesionales de tachas familiares, nos damos cuenta de la relación existente entre lo anterior y la defensa de los cristianos nuevos que Enríquez Gómez hace en la parte de su *Política angélica* (Rouen, 1647), descubierta y dada a conocer por M. Révah (cf. *Revue des Études Juives,* enero-junio de 1962). En esta obra, Gómez vuelve a tratar vigorosamente un tema de fray Luis de León *(De los nombres de Cristo,* L. II, cap. 2, «Rey de Dios»), que fue denunciado a la Inquisición como un ataque contra los Estatutos: la aspiración a un reino ideal «a donde ningún vasallo es ni vil en linaje ni afrentado por condición». Enríquez Gómez, al llamar a los *arbitristas* «pecado original del mundo» y al denunciar su nefasta influencia sobre la política económica, revela otra fuente de amargura para los cristianos nuevos cuyos ascendientes habían mandado en aquel sector y ahora se veían excluidos de él, del mismo modo que se veían apartados de todos los honores. La presencia de los arbitristas entre las «cabezas de turco» de la materia picaresca quizá no se explica solamente por la tentación que ellos ofrecen a los autores festivos.

Nuestra investigación nos autoriza ya a concluir que las preocupaciones por la decencia, la honra externa y las distinciones sociales penetran toda la materia picaresca y sirven para explicar sus complejos contenidos mucho mejor que una voluntad de pintar de un modo realista los bajos fondos sociales. Mucho queda aún por hacer sobre el terreno del análisis literario y de la psicología social al servicio de la interpretación de las actitudes e intenciones diversas con que esta rica materia fue abordada en la época de su mayor éxito. Sólo así podrá estudiarse su juego de acciones y reacciones y se podrá conocer más de cerca el problema que Américo Castro tuvo el gran mérito de plantear: el de la parte que, en la elaboración de la picaresca, tuvieron los cristianos nuevos de origen judío.

10

LOS CRISTIANOS NUEVOS EN EL AUGE DE LA «NOVELA PICARESCA»

El tema que quiero presentarles es demasiado complejo y demasiado extenso para que, en una hora, pueda hacer otra cosa que plantearlo. Está muy cerca del significado mismo del género o materia picaresca en España, y, acerca de este significado, tengo que confesar que, en estos últimos años, he debido cambiar, en gran manera, de opinión. Durante muchos años había seguido yo la opinión corriente según la cual el *pícaro* literario (análogo al *gueux* francés, al *schelm* alemán y al *rogue* inglés), se caracterizaba por su nivel social y económico, su baja extracción o su caída en los bajos fondos. El pícaro, para no morir de hambre, vive sólo de expedientes, y si no mata a nadie para robar, eleva el arte del hurto hasta el virtuosismo y la ociosidad despreocupada al nivel de una filosofía. En héroes tan distintos como Lazarillo de Tormes, Guzmán de Alfarache, Rinconete y Cortadillo o «el buscón», Pablillos de Segovia, hay siempre algo de esto. Pero, últimamente, al llevar a cabo un amplio estudio de la materia picaresca en la época de su gran moda en España, fines del siglo XVI y comienzos del XVII, pude comprobar cómo los temas favoritos picarescos se organizaban no alrededor del tema del hambre, de la indigencia y de la lucha por la vida, sino alrededor de la *honra,* es decir, alrededor de la respetabilidad externa, que se funda en el traje, el tren de vida y la calidad social heredada, ya que el pícaro es la negación viva de esta honra externa, o porque desprecia tales vanidades, como el joven Guzmán convertido en pícaro-filósofo, o porque la usurpa con audacia como el Buscón [1].

Visto con este enfoque *El Lazarillo de Tormes,* que se adelantó en más de cuarenta años a aquella floración literaria y que hay que poner un poco aparte como libro precursor de la literatura picaresca, se nos presenta como un arquetipo. Es profundamente significativo; y el joven Lázaro anuncia en él al pícaro, no porque sea un pobre diablo que sabe soportar el hambre y encontrar su propio sustento, sino a causa de la inolvidable asociación que él forma con el escudero famélico. Ambos representan en un hermoso díptico la tiranía de la honra y la indiferencia a ella. En definitiva, poco importa que Lázaro se aburguese con su matrimonio y presuma de una honorabilidad dudosa simbolizada por su traje y su espada. Sin que se le haya aún bautizado de «pícaro», prefigura, sin embargo, con su amo el escudero, la antítesis pícaro-hidalgo y esta pareja es la que tiene valor de arquetipo, al abrir camino a innumerables caricaturas posteriores de la honra y antihonra externas de que está llena la literatura picaresca.

Y ahora, ¿qué tienen que ver los cristianos nuevos y viejos en el auge, específicamente español, de lo picaresco y de la «picaresca» [2], como algunos decían ya en su época para designar irónicamente a la filosofía propia de esta clase de literatura? Numerosas investigaciones de estos últimos veinte años han puesto cada vez más de relieve, en la historia económica y cultural de España, el papel desempeñado en el siglo XV y en el siglo XVI por unos «cristianos nuevos», judíos conversos o muy próximos descendientes de conversos [3]. Y, por otra parte, ha sido estudiado más de cerca el

---

[1] *Annuaire du Collège de France,* año 63, París, 1963, págs. 485-490. Resumen de un curso acerca de «La honra y la materia picaresca» recogido en este libro, págs. 203-214.

[2] Véase el artículo, recogido también en este libro con el título de «La picaresca. A propósito de *La Pícara Justina*» *(Wort und Text. Festschrift für Fritz Schalk,* Francfort, 1963, págs. 233-250).

[3] Véase, además de los libros de Américo Castro que luego mencionaremos, la monumental obra de Julio CARO BAROJA *Los judíos en la España moderna y contemporánea,* Madrid, Arión, 1962, 3 vols., y en especial el tomo II (tercera parte), y para el estudio de las nociones de *converso* y de

asunto de las discriminaciones raciales, que tendían a prohibir a los elementos de sangre no limpia, es decir, a los conversos, el acceso a las Ordenes religiosas, a las prebendas eclesiásticas, a los grados universitarios y a las Ordenes de caballería (Santiago, Calatrava, Alcántara, etc.), a las que eran candidatos [4]. Sabíamos, desde hacía mucho tiempo [5], que Mateo Alemán, cuyo *Guzmán de Alfarache* es cumbre de toda literatura picaresca, pertenecía a una familia de mercaderes de Sevilla que tenían sangre judaica en las venas. Pero fue Américo Castro quien, por vez primera, en *España en su historia* (1948) estableció una relación de causa a efecto entre la situación de los conversos de origen judío y la tonalidad propia picaresca. Ya un cuarto de siglo antes, en *El pensamiento de Cervantes,* había sostenido vigorosamente la idea, entonces nueva, de que «lo picaresco», en su esencia, no era materia amena, sino más bien amarga bajo un exterior de burlas. Era como una simplificación de la realidad humana que eliminaba de ella sus aspectos sublimes o amables para no conservar más que un «agrio escorzo», un arte que Castro caracterizaba en términos impresionantes como un «arte idealista de signo contrario» [6]. Pues bien: Américo Castro, a fuerza de repensar la historia de España como una dramática coexistencia de tres «castas». cristianos, moros y judíos, se convenció de que la acrimonia de la crítica picaresca era una réplica de los descendientes de judíos a las innumerables heridas que les infligían ciertos cristianos viejos o que se hacían pasar como tales [7]. Si Mateo Alemán, verdadero creador

---

marrano, el fundamental estudio de I. S. Révah «Les marranes», en *La Revue des Etudes Juives,* tercera serie, t. I (CXVIII), 1959-1960, págs. 29-77.

[4] Antonio Domínguez Ortiz, *La clase social de los conversos en Castilla, en la Edad Moderna,* Madrid, 1955 (en *Estudios de historia social de España,* t. III); Alfred A. Sicroff, *Les controverses des Statuts de «Pureté de sang» en Espagne du XVe au XVIIe siècles,* París, Didier, 1960.

[5] Francisco Rodríguez Marín, «Documentos inéditos referentes a Mateo Alemán y sus deudos más cercanos (1547-1607)», *Boletín de la Real Academia Española,* t. XX (1933), págs. 167-217.

[6] Américo Castro, *El pensamiento de Cervantes,* Madrid, 1925, pág. 235.

[7] Américo Castro, *España en su historia. Cristianos, moros y judíos,* Buenos Aires, 1948, págs. 577 y sigs., y en la refundición de esta obra titulada *La realidad histórica de España,* México, 1954, págs. 514 y sigs. Castro volvió sobre la cuestión de los cristianos nuevos en la sociedad y en la cultura

de la novela picaresca, era «cristiano nuevo», podía uno preguntarse si el *Lazarillo de Tormes,* obra anónima de una amargura menos perceptible, no será obra de otro cristiano nuevo que hubiera preferido ocultar su identidad[8].

Desde luego, una atribución como ésta no es fácil de demostrar. El propio Américo Castro, en sus investigaciones infatigables, fructuosas en parte, sobre las ascendencias neocristianas insospechadas de algunas familias de escritores ilustres, tiene en cuenta dos observaciones importantes que fijan el exacto alcance de estas investigaciones genealógicas. En primer lugar, aquellos elementos conversos que no soportaban el ser mantenidos al margen de la clase social superior hacían esfuerzos desesperados para incorporarse a ella: querían hacerse pasar por hidalgos (y, por tanto, por cristianos viejos), como subraya Castro a propósito de Mateo Alemán y de su fantástico blasón. En segundo lugar, una vez lanzada una creación literaria, ésta se convertía en bien común que todos podían explotar. Así, nota Américo Castro, «el estilo desesperado de tradición judaica se convierte en forma de expresión para numerosos cristianos»[9]. El taciturno Mateo Alemán era cristiano nuevo. Quevedo, que destila amargura picaresca, era, en cambio, cristiano viejo y estaba orgulloso de su cruz de Santiago. Estas consideraciones nos evitan el encerrarnos en investigaciones de tipo biográfico a base de documentación insegura y que podrían conducirnos a una especie de racismo retrospectivo, aunque animado, sin duda, por un espíritu de reparación para con las castas antaño perseguidas.

Hoy, sin salir del sólido terreno de los textos, vamos a fijarnos, no en la limpieza o en la impureza de sangre, que, a menudo, no es fácil de comprobar, de los autores de las principales novelas picarescas, sino en la presencia de esta pretendida pureza e impureza en el mundo de los personajes de estas obras, principalmente en lo que atañe a la presen-

---

del Siglo de Oro español en su libro *De la edad conflictiva.* I. *El drama de la honra en España y en su literatura,* Madrid, Taurus, 1961.

[8] En su introducción de *Hacia Cervantes,* Madrid, Taurus, 3.ª ed., 1967, es donde CASTRO desarrolló más completamente sus argumentos en favor de la atribución del *Lazarillo* a un «cristiano nuevo».

[9] *España en su historia,* pág. 579.

tación de sus héroes. Me parece que tocamos con esto una de las características de aquella literatura y estamos seguros de descubrir en ello uno de los ingredientes a los que debe su sabor de España de antaño.

Para identificar este ingrediente recordemos, de entrada, la obra maestra de los entremeses cómicos de Cervantes, *El Retablo de las Maravillas,* imagen incomparable de la humana estupidez obnubilada por los prejuicios acerca del nacimiento. Estamos entre un público de aldeanos castellanos, reunidos, a redoble de tambor, por un farsante, ante una tela sobre la cual no hay nada. Sin embargo, todos pretenden ver en ella las maravillas del falso retablo que les describe el charlatán a quien escuchan. Este se ha contentado con advertir, al principio, que aquel mirífico espectáculo sólo es visible para aquel que, primero, no sea del nacimiento ilegítimo, y segundo, que sea de sangre limpia. Y como todo aldeano castellano se considera cristiano viejo, sin que en su sangre pueda haber mezcla alguna de sangre de moros o judíos, cree tener, como dijo Sancho Panza, sobre él cuatro dedos de enjundia de cristianos viejos [10]. Sabemos que Cervantes explota en esta ocasión un tema folklórico. Muchas veces se ha comparado su invisible retablo con el paño invisible que aquellos tejedores embaucadores fingen tejer para hacer un hermoso traje a un rey, según las versiones del infante don Juan Manuel, en la España del siglo XIV, y de Andersen en la Dinamarca del XIX. Los tejedores han advertido también a sus oyentes que su tela maravillosa no es visible a los bastardos, y como ni el rey ni ninguno de sus súbditos se atreven a confesar que no ven nada, el monarca, después de endosar el imaginario traje, se pasea desnudo por su capital, hasta el momento en que un hombre sin prejuicios, el único que no tiene miedo a que nadie le tache de bastardo, se atreve a decir: «el rey está desnudo». La historieta de la pintura invisi-

---

[10] CERVANTES, *Don Quijote,* II, 4: «Los que tienen sobre el alma cuatro dedos de enjundia de cristianos viejos, como yo los tengo.» En *El retablo de las maravillas,* Cervantes hace decir a Benito Repollo, alcalde campesino: «cuatro dedos de enjundia de cristiano viejo tengo sobre los cuatro costados de mi linaje», acentuando así las pretensiones genealógicas burlescas que Cervantes presta al aldeano. *(Comedias y entremeses,* ed. Schevill-Bonilla, t. IV, pág. 110.)

ble que el travieso Till Eulenspiegel pretende pintar para el «landgrave» de Hesse se conforma con el mismo modelo. En la variante ideada por Cervantes el sabor propiamente español se consigue añadiendo a la tara de bastardía la de impureza de sangre que para todos era entonces no menos fuerte [11], se debe también al encarnar cómicamente la pretensión de pureza de sangre en unos aldeanos que, en realidad, están exentos de tener que dar pruebas de ella.

En la picaresca, en su edad de oro, el tema de la familia del héroe es un tema casi obligado, siendo una constante el de la infamia de los padres del pícaro, admitida o insinuada por el propio héroe desde el comienzo mismo de su autobiografía. Este tema sólo estaba esbozado en *La Celestina,* donde Pármeno, el criado pervertido por la vieja alcahueta, es hijo de una bruja que Celestina había conocido íntimamente. La vieja Celestina domina a Pármeno porque conoce este origen infamante del criado y puede recordárselo cuando le conviene. Pero el joven Pármeno está avergonzado de ello. En cambio, en *El Lazarillo de Tormes,* donde por primera vez un personaje de tan baja extracción cuenta su vida, el autor anónimo, con soberana ironía, hace que Lázaro asuma, tranquilamente, la tacha que el prejuicio común de los españoles calificaría de «infamia» de sus padres. El padre ha sido condenado por robo, y la madre, sirvienta de ínfima condición, amancebada, una vez que el padre de Lázaro se marcha, con un mozo de caballerizas que, además, es esclavo moro. Tenemos que hacer notar, no obstante, que Lázaro no nos es presentado claramente como tocado de impureza racial, si no es de rechazo por el nacimiento del hermanito moreno que su madre da a luz. De un modo análogo, podemos observar que el hidalgo a quien Lázaro sirve en Toledo no nos es explícitamente descrito como infatuado por su pureza de sangre. Sin embargo, basta con que se designe a sí mismo como *escudero* que tiene solar en algún lugar de Castilla la Vieja y que se niegue a doblegar su orgullo ante quien es más noble que él (porque un hidalgo nada debe a nadie si no es

[11] M. Bataillon, «Ulenspiegel» et «El retablo de las maravillas», de Cervantes, en *Homenaje a J. A. Van Praag,* Amsterdam, 1956, págs. 16-21. Para la bibliografía del motivo tradicional véase Stith Thompson, *Motif Index* (edición de 1957), t. IV, J 2312.

a Dios o al Rey) para que el lector pueda reconocer en él la encarnación de la *hidalguía* que se pretende inmemorial, sin mancha de impureza. El arte de esta pequeña obra maestra no tiene parangón por la finura del dibujo y por la intencionada ingenuidad burlona sin hiel. El muchacho sin honra no ha perdido aún su afabilidad y la indulgencia con que el autor trata al escudero nos es más sensible cuando sabemos que las gentes distinguidas en la época de Carlos V hacían ya de este tipo social su habitual cabeza de turco. Don Alonso Enríquez de Guzmán, noble auténtico cuya autobiografía tiene momentos en los que aparece la insolencia picaresca, cuenta cómo, para distraerse del aburrimiento de un viaje, se habían divertido, el duque de Alba y él, en improvisar, haciendo «visajes» cómicos, la más sangrienta de las sátiras contra los pobres escuderos. Don Alonso, en su encarnizamiento contra aquellos hidalgos particularmente ufanos de su hidalguía, llega hasta afirmar que los escuderos son la peor materia prima que puede encontrarse para hacer caballeros y que es mucho mejor reservar los «hábitos» (las cruces de las Ordenes de Caballería), ya sea para hijos de aldeanos o ya sea para hijos de judíos conversos [12]. No se puede hallar un desprecio más completo de las pruebas de limpieza de sangre. Sin embargo, la evolución y las contradicciones del sentir de la aristocracia acerca de este asunto desde la época de Carlos V hasta la de Felipe II y de Felipe III aún no han encontrado el historiador que merecen.

La sucesión de las grandes obras literarias nos ofrecen un contraste muy acusado entre *El lazarillo* y el *Guzmán de Alfarache* en la presentación que el héroe hace de sí mismo, en la evocación de su medio familiar y de lo que yo llamo infamia de sus padres. No sólo cambiamos de clase social al pasar de las gentes del pueblo bajo de los alrededores de Salamanca a la burguesía de mercaderes de Sevilla a que pertenecía Mateo Alemán, sino que el novelista inaugura, además, una nueva escala, un nuevo ritmo de relato, un nuevo enfoque moralizante. Ahora es un galeote arrepentido el que, sin prisa, cuenta su vida. Dejemos a un lado los problemas

---

[12] *Libro de la vida y costumbres de D. Alfonso Enríquez de Guzmán* (B. A. E., t. CXXVI), Madrid, 1960, pág. 51.

de situación social de Mateo Alemán y los de la evolución social del público al que se dirige. Pero admiremos en su refinamiento literario y en su cruel lentitud todos los meandros del relato en los que su Guzmán nos va familiarizando con la poco edificante vida de aquellos que le engendraron: un hombre de negocios sin probidad y una mujer de vida airada que es la querida de un comendador viejo. No le basta a Mateo Alemán con dar a entender, de modo sumario, que Guzmán es mal nacido. Es hijo ilegítimo de un falso matrimonio. Para los que la rodeaban, su madre seguía siendo la «Comendadora» cuando un hermoso día de verano engañó a su viejo protector en la quinta de recreo que el hombre de negocios poseía cerca de Sevilla, en San Juan de Aznalfarache. Sólo años después se casará la infiel con su nuevo amante, de tal modo que Guzmán pudo conocer, para perderlos luego, en su infancia, a dos padres, ninguno de los cuales era legal. El héroe nos explica, tranquilamente, con un humor que hoy llamamos «negro», que el apellido que lleva le pertenece por una ilegitimidad que se remonta a la segunda generación por línea materna, ya que su madre era hija de una tal doña Marcela, que había vivido de la protección de numerosos amantes, y pudo ella escoger entre varias paternidades posibles para su hija, decidiéndose al fin a hacer de ella una Guzmán, y adjudicarle por padre a un miembro de aquella ilustre familia, próximo pariente de los duques de Medina Sidonia. Por ello nuestro héroe luce el nombre de Guzmán, al que añade, como si de un señorío familiar se tratase, el de Alfarache, en recuerdo del lugar donde fue concebido y, en cierto modo, de su ascendencia paterna. Y lo curioso es que al abordar esta última, pasamos de la ilegitimidad al defecto de limpieza, y un defecto, además, múltiple. El padre de Guzmán, efectivamente, desciende, de una parte, de una familia de levantinos («levantiscos»), que al establecerse en Génova, se habían «agregado a la nobleza», o, lo que es lo mismo, a la aristocracia genovesa de los negocios internacionales, ya que su comercio consistía «en cambios y recambios por todo el mundo», o sea, operaciones bancarias para todas las plazas, y este género de negocios traía consigo, más que ningún otro, la mancha indeleble de impureza que hacía fracasar todo intento de pruebas de hidalguía. Además, cuando

Mateo Alemán habla de «levantiscos» nos hace pensar, de modo inevitable, en una de aquellas numerosas familias de cristianos nuevos españoles de origen judío que emigraron primero al Levante, donde volvieron a su religión mosaica, aunque algunas ramas regresaron al Occidente cristiano. Junto con esto, el padre de Guzmán ha legado a nuestro héroe otra impureza. Si él era católico de modo ostensible (llevaba un rosario cuyas cuentas eran del tamaño de avellanas), era para hacer olvidar un episodio musulmán de su existencia. Hecho prisionero, durante una travesía por mar, por los corsarios, renegó del cristianismo en Argel y se casó con una mora rica para después, con ese agudo instinto de sus intereses que Guzmán atribuye a su familia paterna, abandonar a su mujer, liquidar su fortuna argelina, regresar a Sevilla para reconciliarse, privadamente, de su apostasía, y volver a su carrera de hombre de negocios, que se vio jalonada, hasta su muerte, por dos o tres bancarrotas fraudulentas. En una palabra, y sin insistir acerca de los defectos de respetabilidad familiar y comercial del padre de Guzmán, hay que decir que éste aparece como doblemente cristiano nuevo, descendiente de judíos conversos y personalmente antiguo renegado (P. I, L. I, caps. 1-2).

La familia genovesa de Guzmán desempeñará un importante papel en el transcurso de sus aventuras. Efectivamente «agregada a la nobleza» de Génova, es decir, al patriciado comercial de aquella ciudad famosa por sus banqueros, cuando Guzmán, muy joven y muy pobre, desembarca en Italia con la esperanza de ser socorrido por la familia de su difunto padre, ésta se niega a reconocerle. Su tío genovés, venerable y refinado, que le da hospitalidad en su palacio durante una noche, le trata con una crueldad menos refinada que sus modales, y nuestro héroe, decepcionado, ha de marchar a Roma, donde se convierte en falso mendigo. En la *Segunda Parte* de su historia (1604), Mateo Alemán hará que Guzmán vuelva a Génova, pero, esta vez, como hombre rico, y ahora sus familiares genoveses le colmarán de atenciones y hasta querrán retenerlo con la promesa de una buena boda. Pero Guzmán, que sólo ansía vengarse de ellos, ejercita todos sus talentos de estafador consumado, para despojar de una parte de su dinero a aquellas gentes que hacen del dinero su razón de vivir. Y el moralizante Mateo Alemán casi da al lector la impresión, en este punto, de que simpatiza con el desquite que toma su héroe sobre aquellos genoveses que ocultan bajo su nobleza de mala ley una gran fealdad de alma. (P. I, L. III, capítulo 1; P. II, L. II, caps. 7-8.)

La prueba de que la impureza de origen y la infamia de los padres del pícaro por excelencia, Guzmán de Alfarache, fueran temas importantes para los contemporáneos y particularmente deleitosos para los aristócratas de entonces nos la dan dos obras de segunda fila que sus autores lanzaron aprovechando el éxito de la gran obra de Mateo Alemán. la *Segunda Parte,* apócrifa, de *Guzmán* y *La Pícara Justina.* Bien es verdad que el valenciano Martí, en la *Segunda Parte,* que publica con un seudónimo, desnaturaliza y diluye la personalidad del héroe de Mateo Alemán de que se había apoderado. Así, en lugar de vengarse de su familia y en lugar de hundirse cada vez más en la degradación que acabaría por llevarle a galeras, el Guzmán de Martí aparece más que otra cosa como un simple acompañante charlatán de los nobles amos a quienes sirve. Sin embargo, para nosotros es muy interesante el comprobar que en las disertaciones de Guzmán y de sus interlocutores de las que está llena la obra dominan los temas que hacen referencia a la nobleza y al nacimiento. Así, unas veces oímos al héroe declamar contra el universal apetito de nobleza de los españoles que él justifica, otras veces atacar, como habían hecho ya ciertos moralistas del siglo anterior, a los cristianos viejos, que desprecian a los nuevos como si quisieran —afirma Guzmán— «desapriscar (echar del redil) a los que Dios juntó en una Iglesia» [13]. El

---

[13] Mateo Luján de Saavedra [pseudónimo de Martí], *Segunda parte de la vida del pícaro Guzmán de Alfarache* (1602), L. I, cap. VII, fin (B. A. E., t. III, pág. 380 *a).* El reproche dirigido a «los que en España se ceban en las alcuñas... y quieren desapriscar a los que Dios juntó en una Iglesia» recuerda las críticas ya lanzadas contra algunos «cristianos viejos» por Alejo Venegas, *Diferencia de libros* (Toledo, 1540), L. III, «Libro racional», fol. CXXIX-CXXX: «... tiene tanta osadía el estribón del linaje de menospreciar a los de nueva familia que a los que Dios ayuntó en una iglesia por la virtud del bautismo, el engreimiento del antiguo linaje se atreve a desviarlos de sí con injuria, etc.», y todo el párrafo que sigue, en el que se repite machaconamente «con título de hidalgos...». Véase acerca de los españoles, «gente que apetece honra» y a quienes basta ser españoles para

más largo de estos entremeses doctrinales [14] trata de la opinión generalizada convertida en axioma, según la cual las gentes oriundas de Vizcaya, sin necesidad de pruebas genealógicas, han de ser reconocidos como *hidalgos* de sangre limpia a causa del lugar donde sus antepasados tuvieron su cuna, Deben ser considerados limpios de sangre mora porque su región nunca se vio sumergida por la invasión musulmana y también limpios de sangre judía en virtud de una decisión real que prohibía a los conversos del judaísmo, como a los del Islam y a sus descendientes, el que residieran en Vizcaya [15].

En sus interminables argumentaciones, interrumpidas por algunos pinchazos del protagonista, la tesis de la pureza racial de toda una parte de los reinos de Castilla se veía extendida por el lacayo «vizcaíno» Jáuregui no sólo a las provincias Vascongadas en su conjunto, sino a toda la región cantábrica, que llamaban «La Montaña» o «las montañas de León», porque esta región reivindicaba la gloria de haber sido baluarte de la defensa contra la invasión de los árabes. Todos estos lugares comunes históricos explican perfectamente que desde el punto de vista que adoptamos el de la pureza de sangre por definición o por privilegio geográfico, se hayan usado como sinónimo «vizcaíno», «montañés» y «asturiano» por la común significación de «hidalgo ipso facto» que correspondía a estos términos.

Y sólo basándonos en estas consideraciones es como hemos podido llegar, en estos últimos años [16], a reconstruir la significación original de *La Pícara Justina,* que en el año de su publicación (1605) por el Licenciado Francisco López de Ubeda [17] fue bautizada también *La Pícara Montañesa.* López

---

querer ser «caballeros», el final del cap. III del libro I de MARTÍ, *ed. cit.*, pág. 370 *a-b*.

[14] *Ibid.*, L. II, caps. VIII-XI, y en especial los caps. VIII y IX *(ed. cit.*, págs. 394-400).

[15] *Ibid.*, L. II, cap. IX, *ed. cit.*, pág. 399 *a*. Cf. a propósito de este privilegio la irónica réplica de PULGAR (Letra XXXI, B. A. E., t. XII, pág. 59), que comenta A. CASTRO en *La realidad...*, op. cit., pág. 505.

[16] Véanse los diferentes artículos publicados en este libro, todos citados ya anteriormente.

[17] Como hemos dicho, aunque Puyol, que era leonés, se haya siempre obstinado en la imposible atribución del libro al dominico leonés fray Andrés Pérez, su edición en la colección de la Sociedad de Bibliófilos Madrileños,

de Ubeda, médico y bufón palaciego, apenas acabado por Mateo Alemán su gran libro, no sólo explota esta obra, sino también su apócrifa continuación para hacer su escandalosa irrupción en el mundo de las letras y en el Parnaso, con lo cual iba a provocar la indignación de Cervantes. Deliberadamente, hace pasar a su *pícara* como prometida —en terceras nupcias— del ilustre pícaro Guzmán de Alfarache; y no debemos dejarnos engañar por las solemnes protestas del autor, que ya quiere que tomemos en serio las insulsas moralejas de su obra, ya pretende presentarnos su libro como juguete de sus mocedades, que ha tenido que poner rápidamente a la moda picaresca del día. No pudo ser bien comprendida aquella pícara insolente mientras se quiso ver en ella sólo un retrato, más o menos realista, de una aldeana nacida en Mansilla de las Mulas, en Tierra de Campos, o se quisieron interpretar sus irónicas ojeadas a la ciudad de León como el homenaje de un autor leonés a su ciudad natal, o mientras se quiso situar en Medina de Rioseco, de Castilla la Vieja, el episodio de Rioseco, en el que la heroína ejercita sus talentos de embaucadora entre hilanderas y cardadores moriscos. Sólo comienza a sernos inteligible aquella extraña criatura cuando nos damos cuenta de que no se trata de una figura imitada de la realidad, sino de un ser fabricado por la fantasía desbocada de un bufón, cuando apreciamos que el epíteto de *montañesa* que se le aplica no tiene su sentido geográfico literal, sino el de persona que tiene *hidalguía* inmemorial, y cuando se descubre que en las palabras *pícara montañesa* hay una especie de desafío burlesco con el cual la heroína se jacta de unir la bajeza por definición con la nobleza, también por definición.

El haber podido descifrar algunos dobles sentidos nos permitió descubrir que los segadores asturianos que Justina se encuentra, cuando ella vuelve de León a su pueblo, son una cómica transposición de los nobles que cosechaban los

---

VII, VIII, IX, es la única recomendable. En el t. III, pág. 328, figura la descripción de la edición de Barcelona, 1605, *La pícara montañesa llamada Justina...* La edición príncipe de Medina del Campo (1605) se titulaba *Libro de entretenimiento de la Pícara Justina.* Pero en todas las ediciones, el Libro Primero, consagrado principalmente a los ascendientes de la heroína, se titula «La pícara montañesa».

hábitos de las Ordenes militares y los títulos de nobleza gracias a su inmemorial hidalguía de «asturianos». Aquella ficción pseudo-rústica y regional recobra su verdadero sentido de entretenimiento para los lectores cortesanos, cuando se descubre que el viaje de la heroína a León no es sino la explotación burlesca del viaje que la Corte de Felipe III había hecho, dos años antes, desde Valladolid a la antigua capital de los reinos de León y Castilla. Mansilla de las Mulas designa a Valladolid, que es la ciudad donde entonces residía la Corte, y Rioseco, como también vimos, es el nombre tras el que se oculta Madrid, la antigua capital, cuyo río Manzanares, no muy caudaloso, era tan a menudo ridiculizado por los poetas festivos de entonces.

Incluso sin proceder a esta difícil reinterpretación, aún no acabada, de *La Pícara Justina* como obra de entretenimiento para los cortesanos de 1605, se hubiera podido ver en ella, hace muchos años, con sólo prestar más atención a la cuestión que nos ocupa, que la preocupación universal por la genealogía que atormentaba a las familias de España en trance de ennoblecerse y el general deseo de borrar toda huella de ascendencia impura, eran los procesos sociales que habían inspirado a López de Ubeda el deseo de burlarse de ellos en una obra jocosa, de estilo muy poco realista.

Justina, en la introducción de su autobiografía, se retrata, pluma en ristre, destilando, con un humor un poco machacón, sus reflexiones acerca de aquella loca empresa (¡contar la historia de un linaje. y del propio linaje!) cuando se ve interrumpida por un estudiante matraquista que se parece al joven Quevedo como una gota de agua a otra gota y que entre los sarcasmos con que la abruma le reprocha el que es *cristiana nueva*[18]. Después consagrará Justina numerosas páginas a la evocación de sus ascendientes que arranca de cuatro generaciones atrás. Se trata de una genealogía bur-

---

[18] Este punto era subrayado por una de las notas marginales que daban a la obra, en sus ediciones antiguas, su fisonomía original de parodia de otros libros serios. (CERVANTES tocó este mismo punto con suma ironía en su Prólogo a la Primera Parte de *Don Quijote.)* Véase en la edición Puyol (cf. A pág. 55, nota 6), la única edición moderna en que fueron restablecidas las anotaciones marginales, en el t. I, pág. 58, al margen: «Motéjala de cristiana nueva.»

lesca en la que se parodia la regla de las «pruebas» con las que uno había de demostrar que sólo tenía antepasados hidalgos. Todos los ascendientes de Justina han desempeñado humildes oficios de carácter popular y divertido, de tal modo que su familia es, desde tiempo inmemorial, una familia picaresca. Ni siquiera se priva la pícara de insinuar que uno de sus antepasados fue quemado por la Inquisición [19], como ya vimos, y no pierde ocasión, más adelante, de afirmar que ella tiene asco invencible al tocino [20]. Este es el tema favorito de las pullas que lanzan los villanos contra los hidalgos ennoblecidos para así reprocharles su origen judaico [21]. En el episodio de Rioseco, en el que Justina se mueve entre moriscos, vive alojada en casa de una vieja morisca a la que ve morir como musulmana impenitente. No vacila entonces en apoderarse de su parva herencia, haciéndose pasar por su nieta, lo cual es una cínica manera de burlarse de aquellos españoles que ocultaban la existencia de sus ascendientes moros o judíos para probar su limpieza de sangre.

Si atendemos a estos aspectos del personaje es cuando comprendemos la provocación inherente a la concepción misma de *La Pícara Montañesa.* Como hay que recordar también que hacia el final del libro, al llegar a los preliminares del primer matrimonio de Justina, la «pícara novia», se pretende cortejada como hidalga por algunos extraños hidalgos que viven de pequeños oficios ridículos y después, cuando se casa con una especie de rufián holgazán y jugador, nos presenta su matrimonio como una boda noble que hace reventar de envidia a sus hermanos, comportándose éstos con la bajeza de alma que es propia de villanos. La envidia de

---

[19] El «terterabuelo tropelista» quemado por el gran sol de Guadalupe (L. I, cap. II, núm. 1; *ed. cit.,* t. I, pág. 82. Cf. el resumen del Curso 1959-60, pág. 33 de este libro), y un poco antes, las pullas contra el bisabuelo titerero que «se mató en la cruz».

[20] Véase, en particular, el cuadro «del escudero enfadoso», en el que Justina es cortejada por un «tocinero» (L. II, Primera Parte, cap. I, núm. 2; *ed. cit.,* t. I, pág. 147): «Yo, que nunca aguardo a desquitarme al miércoles corvillo...»

[21] Véase en especial el entremés cómico con que empieza la comedia de Lope de Vega, *San Diego de Alcalá* (B. A. E., t. LII, pág. 515), y el entremés de los «alcaldes encontrados», de Quiñones de Benavente, citado por Julio Caro Baroja, *op. cit.,* t. II, pág. 278.

los *villanos* para con los hidalgos es uno de los temas que había tratado Mateo Alemán en tono más serio y que la pícara lleva a una tonalidad de burla descarada[22].

Consideremos ahora la obra maestra de Quevedo, *La vida del Buscón,* que sin duda hay que agrupar cronológicamente con las obras anteriormente citadas[23], y que contribuyó, en gran manera, juntamente con ellas, a fijar la gran tradición picaresca inaugurada por Mateo Alemán. Es asombroso observar cómo Quevedo, que no puede olvidar tan magno precedente, pero que resucita la sobriedad del *Lazarillo,* logra inventar una variación original sobre el tema de la infamia de los padres. Para empezar designa a su héroe, con más laconismo y más abiertamente que sus predecesores inmediatos, como cristiano nuevo o tenido por tal, y esto está más claro que en los manuscritos, como el de la Biblioteca de Menéndez Pelayo, reproducido por Castro en su edición de 1927. El héroe no ignora que su madre tenía fama de ser mujer de malas costumbres y algo bruja. Pues bien: en esta redacción de la obra, nos da noticias de sus antepasados maternos: Aldonza de San Pedro era hija de Diego de San Juan y nieta de Andrés de San Cristóbal, que son todos apellidos malignamente elegidos por su semejanza con apellidos

---

[22] L. IV, cap. IV; *ed. cit.,* t. II, pág. 288, con la «fábula que riñeron los hidalgos y villanos animales», subrayada por una nota marginal. La idea de esta guerra zoológica entre las dos castas le fue sugerida, sin duda, por un párrafo de la novela de Ozmín y Daraja, intercalada en la Primera Parte (L. I, cap. VIII) de *Guzmán de Alfarache* (B. A. E., t. III, pág. 215 *a:* «La gente villana...», etc.; 215 *b:* «Líbreos Dios de villanos»). A. CASTRO *(De la edad conflictiva,* op. cit., págs. 171 y sigs.) ha extraído el significado del «labriego como último refugio contra la ofensiva de la opinión». Véase también Julio CARO BAROJA, *op. cit.,* t. II, págs. 278-303. Es significativo que el cardenal D. Francisco de Bobadilla y Mendoza, que parece que denunció la «impureza de sangre» de varias familias nobles como réplica a los reproches de impureza que fueron hechos a su sobrino el Conde de Chinchón, aparezca también como autor de un memorial titulado «Origen de los villanos que llaman comúnmente cristianos viejos» (MOREL-FATIO, *Catalogue des Manuscrits espagnols de la Bibliothèque Nationale,* París, 1892, pág. 354 *a,* núm. 640). Estas pretensiones de los villanos a la limpieza de sangre, que unas veces eran tomadas en serio y otras a risa, explican el cómico empeño que supone la «pícara montañesa» de López de Ubeda, la cual es aldeana.

[23] Hacia 1604, según la excelente Introducción de *La vida del Buscón llamado Don Pablos.* Edición crítica y estudio preliminar de Fernando Lázaro Carreter, Salamanca, 1965, pág. LII.

conocidos de judíos conversos. «Sospechábase en el pueblo —subraya el hijo— que no era cristiana vieja, aunque ello por los nombres y sombrenombres de sus pasados quiso probar que era descendiente de la letanía» [24].

Quevedo, o el editor del *Buscón* en 1626, hará más borrosos estos sarcasmos, haciendo desaparecer los apellidos y sustituyendo lo de la «letanía» por «los del triunvirato romano», que es una broma más sosa y menos irrespetuosa para la Iglesia que la anterior. Sin embargo, más adelante se advierte otra vez en poner apellidos que denuncian el origen impuro de sus poseedores. Así, en el episodio en que Pablos, preso en Madrid con toda una banda de caballeros de industria, consigue salir solo de la cárcel gracias a la amistad que entabla con el carcelero y su mujer, que se llaman, precisamente, un «tal Blandones de San Pedro» y una «Doña Ana Moráez» [25]. El Buscón había tenido la suerte de asistir a una riña del matrimonio en que la carcelera echaba en cara a su marido el no tener el valor suficiente para defenderla contra un calumniador, seguramente judío, que la trataba de judía. Pablos entonces, con tanta audacia como oportunidad, preguntaba por la parentela del tal Juan de Madrid, de quien ella es hija, y llena de satisfacción a los esposos al asegurarles que se trata nada menos que del primo hermano de su propio padre y que él posee una «ejecutoria» por la que se prueba la hidalguía de ambas familias. En el caso de Pablos, como en el de Guzmán o el de Justina, la limpieza o impureza de cuna no es un dato que quede al margen de la concepción del personaje y de su destino. Toda la intriga de la *Vida del Buscón,* después de que el héroe consigue salir de la cárcel, está construida sobre lo que puede llamarse una usurpación de nobleza o de nobles identidades. Pablos, con nombres falsos, comete algunas estafas, y la más grave le lleva lejos, ya que haciéndose llamar Don Felipe Tristán, comienza a enamorar a la joven Doña Ana, de nobleza auténtica, y hasta se insinúa en la confianza de la tía de la dama. Pero esta vez no tiene suerte, porque pre-

---

[24] QUEVEDO, *Vida del Buscón,* ed. cit., pág. 16. En seguida pensamos en Pablo de Santa María y en los numerosos Santángel, Santa Cruz, y Santa Clara que aparecen en el *Libro verde de Aragón.* Ed. Lázaro.

[25] QUEVEDO, *ed. cit.,* pág. 203.

tende a la propia prima de Don Diego Coronel, su amo y compañero cuando ambos estudiaban, primero, en su ciudad natal de Segovia, y luego, en la Universidad de Alcalá. De modo que Don Diego conoce perfectamente la indignidad social y racial de aquella familia en la que los Coronel tuvieron la imprudencia de buscar criado para uno de ellos. Desenmascarado nuestro héroe, primero sostiene, cínicamente, que él es sólo un sosías del antiguo criado Pablos, pero, al fin, no evitará que le castiguen como merece. Quevedo sobrepasa al *Lazarillo* en sobriedad incisiva en su manera de valerse, a modo de estribillo, de «los pensamientos de caballero» de su pobre personaje. Recordemos, además, que la usurpación de apellidos nobles por los pícaros es uno de los temas que este ejemplo de Quevedo contribuirá a hacer prosperar en las novelas de Salas Barbadillo y de Castillo Solórzano.

Y ahora, para completar el repaso del tema que nos hemos propuesto, tenemos que detenernos en *La vida del escudero Marcos de Obregón,* de Vicente Espinel, libro que se suele incluir entre los relatos autobiográficos picarescos y que ha desempeñado un gran papel en el desarrollo de la literatura picaresca fuera de España. Se trata, a decir verdad, de la vida de un *antipícaro,* que rehabilita la figura, desacreditada y ridícula, del «escudero». Marcos sigue fiel a su ideal de hombre de honra, orgulloso de su hidalguía, pero Espinel quiere, además, que sea la encarnación de un concepto del honor que sobrepasa los prejuicios sociales de la *honra* externa y llega hasta el verdadero honor, que es el fundado por los moralistas sobre la virtud. Concepción ésta deliberadamente edificante. Sólo me detendré aquí en un episodio que creo que es la aventura culminante del buen escudero [26]. En un risueño paisaje de una islilla cercana a Mallorca, Marcos es capturado por un corsario y llevado como cautivo a Argel. La escena de esta captura está dotada de una poesía penetrante al mismo tiempo que Espinel le infunde un profundo significado social. Cuando el escudero es interrogado

[26] Le Sage, tomando este personaje de la literatura española en su *Gil Blas de Santillane,* dirá de él (L. II, cap. VII): «Le vieux Marcos, qui était peut-être la meilleure pâte d'écuyer qu'on vit jamais.»

acerca de su identidad y de su profesión contesta orgullosamente: «Soy montañés, de junto a Santander, del valle de Cayón, aunque nací en el Andalucía. Llámome Marcos de Obregón, no tengo oficio porque en España los hidalgos no lo aprenden.» Proclama el ideal de aquella nobleza, que se fundaba en las armas, y confiesa que la negativa hereditaria al trabajo manual puede llegar a obligar al hidalgo pobre a una curiosa mezcla de elegancia y deslustre indumentario. Pero quien ha esclavizado a Marcos también ha declarado su identidad. Se trata de un renegado español a quien Marcos ha tratado, instintivamente, como un caballero, y, en efecto, lo es y de una buena familia de Valencia, y si ha emigrado a tierra de musulmanes es porque no podía tolerar el verse excluido de las dignidades, cargos y honores superiores, ni tampoco verse tratado con desprecio por hombres nacidos en baja cuna. Marcos de Obregón le responde saliendo en defensa de los Estatutos de limpieza de sangre, al menos desde el punto de vista eclesiástico, y en esta literatura novelesca en la que tan a menudo hemos podido ver proyectarse la sombra de la discriminación racial, ésta es, quizá, la única página en que se mencionan, con todas sus letras, los llamados Estatutos de limpieza de sangre, que eran instrumento de aquella discriminación. Además, si el virtuoso y cortés Marcos los defiende en su principio, no deja de condenar los abusos que de ellos hace la grosera plebe para deshonrar a las familias que tratan de elevarse socialmente. El conflicto a que asistimos resulta, pues, suavizado —casi edulcorado, podríamos decir— por las buenas maneras del escudero, quien, durante su cautividad, se ganará la confianza y el afecto de la familia del renegado. Este, por su parte, manifiesta una singular nostalgia del cristianismo, aunque trate de hacer todo el daño que pueda a aquella España de la que se ha desterrado, y, por ello, el renegado encarga expresamente a Marcos de Obregón que enseñe a su hijo las virtudes cristianas de las que él es vivo ejemplo (*Marcos de Obregón,* libro II, descanso VIII y sigs.).

Hemos hablado de literatura anti-picaresca. Y en este caso, por lo menos, lo que vemos es una idealización de hermanos enemigos que contrasta con la idealización de signo negativo en la que Castro vio la tonalidad característica de «la picaresca» fundada por Mateo Alemán. Esta picaresca es literatura, y cada una de estas obras es muy ambigua en lo referente a las relaciones que mantiene con su autor y con la sociedad que en ella se expresa. Estamos en pleno auge de la ficción de forma autobiográfica. Claro que sería una ingenua ilusión el creer que el novelista se identifica con el personaje a quien convierte en narrador, como también sería absurdo el excluir *a priori* una cierta forma y un cierto grado de identificación entre el personaje y su creador, sobre todo cuando tenemos la suerte de saber algo de este último. George Haley, en su obra reciente sobre *Vicente Espinel y Marcos de Obregón* se esforzó en reconstruir la vida de Espinel para tratar de encontrar en ella las experiencias personales que pudo prestar a su héroe. Desde luego, Haley no ve ninguna razón para creer autobiográfico, como se había admitido antes con demasiada facilidad, el episodio de la cautividad de Argel, pero ello no quita para que Vicente Espinel haya sido, como su Marcos de Obregón, un cristiano viejo, orgulloso de su ascendencia montañesa [27], e incluso hay buenas razones para creer que tenía sobre la discriminación racial ideas análogas a las que pone en boca de su buen escudero.

Recordaba yo ahora que toda literatura de ficción expresa de manera muy ambigua la realidad humana a la que se refiere y las disposiciones íntimas del escritor que la plasma. Con mayor razón, una literatura como la picaresca, que cultiva todas las formas conocidas del humor desde las más finamente burlonas hasta las más caricaturescas. Por lo menos, creo haber empezado a convencer a ustedes de que, si estos libros famosos tienen un valor documental, no sólo nos instruyen sobre las costumbres de los bajos fondos sociales en que sitúan a los pícaros, sino también (y quizá más que nada) acerca de las preocupaciones sociales dominantes, o incluso obsesionantes, del público distinguido para quienes fueron escritos. Afortunadamente poseemos, para llegar a captar el sentido de aquellos libros desiguales y diversos que fundan la picaresca, otro camino que el de escrutar las

---

[27] George HALEY, *Vicente Espinel and Marcos de Obregón.* A life and its Literary Representation, Brown Univ. Press, Providence, 1959. Véase en especial págs. 65 y sig.: «Ambiguity of the *yo*», y págs. 4 y 124.

misteriosas relaciones que los unen con sus autores o con su medio social; consiste en analizar las relaciones literarias que mantienen entre ellos, su filiación o su encadenamiento mutuos. Esto quedaba embrollado mientras se cometía el anacronismo de hacer veinte años más vieja a *La Pícara Justina* en cuanto a su concepción original. Ahora ya no será posible cerrar los ojos a esta verdad histórica: la *Pícara* de 1605 es una burlesca réplica al pícaro *Guzmán* de 1598 y 1604, es decir, a las dos partes de la obra de Mateo Alemán, pero también lo es al *Guzmán* de 1602, la mediocre falsificación del valenciano Martí. Asimismo, el *Buscón* se inspira en el *Lazarillo,* y con algunas caricaturas inmortales anima ciertos temas fundamentales de la materia social que descubrió literariamente Mateo Alemán. El escudero de Espinel es una nueva réplica al *pícaro,* pero ésta francamente antipicaresca. Y no ha sido ningún espejismo el que repetidamente nos ha hecho encontrar en estas obras tan diferentes, cuando las hemos colocado en su verdadera perspectiva, la presencia de la impureza de sangre de los cristianos nuevos, y no como un simple detalle entre otros más, sino como una singularidad unida al *yo* de los héroes. El alcance de este tema habrá que apreciarlo ya en análisis propiamente literarios que habrán de tener en cuenta no sólo esta perspectiva general, sino también la tonalidad y contextura propias de cada creación, sin descuidar las tradiciones particulares a que cada una puede estar ligada. Por ejemplo —y aquí es donde el arcaísmo que durante tanto tiempo se atribuyó a *La Pícara Justina* hallará su explicación— podrá verse cómo revive en López de Ubeda, médico empeñado en divertir a los grandes, la tradición de los bufones cortesanos del siglo XVI, y sobre todo de los médicos «chocarreros», que ya hacían chistes desconcertantes a expensas de los conversos, entre quienes se situaban ellos mismos con una jovial agresividad, como ya hemos tenido ocasión de ver.

Es evidente, desde luego, que el pícaro de Mateo Alemán es el fundador de toda una dinastía, y el problema que A. Castro nos plantea sobre él es de categoría. Porque ¿quién podrá explicar, en su complejidad judeo-cristiana, la amarga concepción que del mundo tiene Mateo Alemán? Y ¿quién sabrá articularla de modo revelador según un humor y una técnica personales y según una situación social hereditaria común a la minoría selecta de los cristianos nuevos? ¿Quién será capaz de analizar, en los restantes autores picarescos, las variantes de amargura secular que ocultan sus sarcasmos? Pues más de uno de aquellos satíricos españoles hubiera podido decir mucho antes que nuestro Barbero de Sevilla «Me apresuro a reírme de todo para no tener que llorar de todo» [28]. Me parece que estos análisis, que yo deseo tanto, no debieran detenerse demasiado en hipótesis acerca de los orígenes «puros» o «impuros» de cada autor, orígenes de los que quizá nunca sepamos nada positivo [29]. Por ello he preferido yo hoy ocuparme de la pureza e impureza de los personajes de sus obras, que constituyen como una familia. Porque fueran o no cristianos viejos unos escritores que querían divertir a su público apasionado por esta cuestión, podían burlarse de modo casi idéntico acerca de los «pícaros con ventura» [30] o de algún ennoblecimiento escandaloso, o de S. M. el

---

[28] El malogrado Maurice BÉMOL había prolongado, de manera muy convincente, la hipótesis que relaciona a *pícaro* con *Fígaro* (Société Francaise de littérature comparée. Actes du IV Congrès National, Toulouse, 1960. *Espagne et littérature française*. París, Didier, 1961, págs. 39-55: «Un petit problème franco-espagnol: D'où vient Figaro?»). Pero, así como es clara la filiación entre el héroe de Beaumarchais y los «Pícaros» del francés Le Sage, la confrontación de éstos con sus ilustres modelos españoles nos revelará una profunda diferencia de espíritu y de temática entre *Gil Blas* y los libros que fundan, bajo Felipe III, la «picaresca» española. Hay un abismo entre los héroes de aquellos libros y el barbero cuyas actitudes pudieron, con toda legitimidad, ser tenidas como precursoras o anunciadoras de la Revolución francesa. El ingrediente de impureza de sangre no aparece en Beaumarchais por ninguna parte, pero nótese que era casi imperceptible ya en el siglo XVII en las traducciones de las novelas picarescas a lenguas extranjeras.

[29] Francisco MÁRQUEZ VILLANUEVA, *Investigaciones sobre Juan Alvarez Gato,* Madrid, 1960, pág. 79, se muestra convencido «de que no es una frivolidad la investigación del origen converso de un poeta». Pero también tiene razón al decir *(ibid.,* pág. 44) que «si podemos llegar a establecer el judaísmo de origen de un personaje determinado, es probable que, lejos de haber resuelto un problema, sólo nos hayamos situado en los umbrales de las cuestiones realmente decisivas».

[30] QUEVEDO, *Obras en verso,* Madrid, Aguilar, 1932, pág. 78 *b,* letrilla fechada en 1606, «El que si ayer se muriera», que tiene como estribillo «Pícaros hay con ventura de los que conozco yo / y pícaros hay que no». En la tercera estrofa hay una brutal alusión a la «sangre judía», y en la quinta una alusión a un caballero «que jamás armas tomó, sino en sello o en dinero». *Ibid.,* pág. 417, hay un soneto acerca de las peligrosas «informacio-

Dinero, que, entre sus sortilegios, posee el de hacer caballeros. «Poderoso caballero es Don Dinero» [31], decía irónicamente Quevedo. Y López de Ubeda: «En todo el mundo no hay sino sólo dos linajes: el uno, se llama tener, y el otro, no tener (dinero)» [32]. En cuanto al público, en modo alguno popular, y a los nobles, efectivos o con esperanzas de serlo, a quienes aquellos autores se dirigían, el reírse de los ascensos juzgados escandalosos, codeando a los grandes señores que estaban por encima de aquellas miserias, ¿no era ya una manera de colocarse entre los «puros» ante los ojos de los demás y ante los propios, aunque el que reía estuviera dominado por una secreta inquietud ante las dificultades de las «pruebas» que había de pasar? Ya hacía tiempo que Góngora en una de sus *letrillas* de juventud había hecho tema de coplas burlonas aquella lotería en que unos salían ganando cruces de comendadores y otros cruces de sambenitos inquisitoriales, o como él decía, la Fortuna «a unos da encomienda, a otros sambenitos» [33]. Pero este vestido infamante que recordaba los «autos de fe» de la Inquisición, o la tacha de haber tenido algún comerciante entre los antepasados, podía, a veces, desvanecerse como un mal sueño para que resplandeciese una encomienda [34].

No hay duda de que otras sociedades, al comenzar la época moderna, conocieron la ascensión de hombres nuevos, que se enriquecieron con sus negocios y se fueron integrando, con mayor o menor facilidad, en la antigua nobleza. Pero aquella España que entonces dio a Europa su gran «picaresca» practicó, a fines del siglo XVI y a comienzos del XVII, con las exigencias de sus Estatutos de limpieza de sangre, una especie de carrera de obstáculos, cuya dificultad parecía absurda a muchos hombres sensatos, hasta el punto de que Felipe IV, poco después de su llegada al trono, quiso aliviar

---

nes» genealógicas: «Solar y ejecutoria de tu agüelo...», que fue relacionado con la aventura del ennoblecimiento de D. Rodrigo Calderón.

[31] *Ibid.*, pág. 73 (letrilla fechada en 1601).

[32] *La Pícara Justina,* L. I, cap. II, núm. 2; *ed. cit.*, t. I, pág. 75.

[33] GÓNGORA, *Letrillas,* ed. crít. de R. Jammes, París, 1963, pág. 49: «Da bienes Fortuna...» (1581), versos 9-10.

[34] Recuérdese el caso de D. Rodrigo Calderón, estudiado en este libro.

aquellos rigores [35]. Así, podemos concebir que aquel absurdo social hiciera brotar a base de antítesis pícaro-hidalgo este curioso hallazgo literario de la picaresca: pues el hidalgo es racialmente puro, por definición; el pícaro no podrá ser realmente su antítesis, si no aparece marcado, poco o mucho, por aquella impureza que tendría que excluirlo para siempre de los privilegios reservados a los hidalgos. Es decir, que el auge de la picaresca bajo Felipe III nunca será plenamente comprendido si se olvida la herencia medieval de la España de las tres religiones.

---

[35] Véase DOMÍNGUEZ ORTIZ, *op. cit.*, págs. 103 y sig., y A. SICROFF, *Les controverses...*, op. cit., págs. 216 y sigs.

NOTA BIBLIOGRAFICA

Indicamos a continuación el origen de cada uno de los textos traducidos en el presente volumen.

1. *Recherches sur les pauvres dans l'ancienne Espagne: roman picaresque et idées sociales,* cours de 1948-49, resumido en el *Annuaire du Collège de France,* París, 1949, págs. 209-214.

2. *Recherches sur* La Pícara Justina, cours de 1958-59, 1959-60 et 1960-61, resumido en el *Annuaire du Collège de France,* París, 1959, págs. 567-569; 1960, págs. 416-420; 1961, págs. 399-404.

3. *Urganda entre* Don Quixote *et* La Pícara Justina, *Studia Philologica, Homenaje ofrecido a Dámaso Alonso,* t. I, Madrid, Gredos, 1960, páginas 191-215. La versión española, de José Pérez Riesco, pertenece a la colección de trabajos de M. BATAILLON, *Varia lección de clásicos españoles,* Madrid, Gredos, 1964, págs. 268-299.

4. *Don Rodrigo Calderón Anversois,* Communication à *l'Académie royale de Belgique* (7-XII-1959). *Bulletin de la Classe des Lettres et des Sciences Morales et Politiques,* 5.e série, tome XLV, Bruxelles, 1959, páginas 595-616.

5. *Une vision burlesque des monuments de León en 1602, Bulletin Hispanique,* t. LXIII, 1961, págs. 169-178 (Comm. au colloque tenu à la Faculté des Lettres de Bordeaux pour le centenaire de G. Radet et P. Paris, 11-10 de marzo de 1961).

6. *Rioseco? La «morería» de* La Pícara Justina, *Etudes d'Orientalisme dédiées à la mémoire de Lévi-Provençal,* París, 1962, t. I, págs. 13-21.

7. *Style, genre et sens. Les Asturiens de* La Pícara Justina, *Linguistic and Literary Studies in Honor of Helmut A. Hatzfeld,* Washington, Catholic University of America Press, 1964, págs. 48-59.

8. *«La picaresca». A propos de* La Pícara Justina, *Wort und Text, Festchrift für Fritz Schalk,* Frankfurt am Main, V. Kostermann, 1963, págs. 233-250.

9. *L'honneur et la matière picaresque,* cours de 1962-63, resumido en el *Annuaire du Collège de France,* París, 1963, págs. 485-490.

10. *Les nouveaux chrétiens dans l'essor du roman picaresque, Neophilologus,* Groningen, 1964, págs. 283-298. (Conférence faite à l'Université d'Amsterdam le 25 mai 1964, sous les auspices de la Fondation Allard-Pierson.)

INDICE ONOMASTICO

A

B

C

CH

D

E

P

Q

R

S

T

U

V

Z

ESTE LIBRO SE TERMINO DE IMPRIMIR
EN LOS TALLERES GRAFICOS DE GREFOL, S. A.,
POLIGONO INDUSTRIAL DE LA FUENSANTA,
MOSTOLES, MADRID,
EN EL MES DE ABRIL DE 1982

OTROS TÍTULOS
DE LA
COLECCIÓN PERSILES

10. José Bergamín: **Fronteras infernales de la poesía.**
18. Américo Castro: **De la Edad conflictiva.**
27. Rafael Ferreres: **Los límites del Modernismo.**
31. Edward C. Riley: **Teoría de la novela en Cervantes.**
33. Alonso Zamora Vicente: **Lengua, literatura, intimidad.**
35. Azorín: **Crítica de años cercanos.**
36. Charles V. Aubrun: **La comedia española.**
37. Marcel Bataillon: **Pícaros y picaresca.**
38. José Corrales Egea: **Baroja y Francia.**
39. Edith Helman: **Jovellanos y Goya.**
40. G. Demerson: **Don Juan Meléndez Valdés y su tiempo.**
41. J. M.ª Castellet: **Iniciación a la poesía de Salvador Espriu.**
42. Georges Bataille: **La Literatura y el Mal.**
43. Domingo Ynduráin: **Análisis formal de la poesía de Espronceda.**
44. R. M. Albérès: **Metamorfosis de la novela.**
45. Fernando Morán: **Novela y semidesarrollo.**
46. Gabriel Celaya: **Inquisición de la poesía.**
47. W. Benjamín: **Imaginación y sociedad (Iluminaciones, I).**
48. Julien Green: **Suite inglesa.**
49. Oscar Wilde: **Intenciones.**
50. Julio Caro Baroja: **Los Baroja (Memorias familiares).**
51. Walter Benjamín: **Baudelaire: Poesía y capitalismo (Iluminaciones, II).**
52. C. M. Bowra: **La imaginación romántica.**
53. Luis Felipe Vivanco: **Moratín y la ilustración mágica.**
54. Paul Ilie: **Los surrealistas españoles.**
55. Julio Caro Baroja: **Semblanzas ideales (Maestros y amigos).**
56. Juan Ignacio Ferreras: **La novela por entregas (1840-1900).**
57. J. Benet, C. Castilla del Pino, S. Clotas, J. M. Palacio, F. Pérez y M. Vázquez Montalbán: **Barojiana.**
58. Evelyne López Campillo: **La «Revista de Occidente» y la formación de minorías.**
59. J. M.ª Aguirre: **Antonio Machado, poeta simbolista.**
60. Northrop Frye: **La estructura inflexible de la obra literaria.**
61. A. Jiménez Fraud: **Juan Valera y la generación de 1868.**

62. Serie «El escritor y la crítica»: **Benito Pérez Galdos.** (Edición de Douglass M. Rogers.)
63. Serie «El escritor y la crítica»: **Antonio Machado.** (Edición de Ricardo Gullón y Allen W. Phillips.)
64. Serie «El escritor y la crítica»: **Federico García Lorca.** (Edición de Ildefonso-Manuel Gil.)
65. Juan Ignacio Ferreras: **Los orígenes de la novela decimonónica en España (1800-1830).**
66. Jesús Castañón: **La crítica literaria en la prensa española del siglo XVIII (1700-1750).**
67. María Cruz García de Enterría: **Sociedad y poesía de cordel en el Barroco.**
68. Marthe Robert: **Novela de los orígenes y orígenes de la novela.**
69. Juan Valera: **Cartas íntimas (1853-1879).**
70. Richard Burgin: **Conversaciones con Jorge Luis Borges.**
71. Stephen Gilman: **«La Celestina»: arte y estructura.**
72. Lionel Trilling: **El Yo antagónico.**
73. Serie «El escritor y la crítica»: **Miguel de Unamuno.** (Edición de A. Sánchez Barbudo.)
74. Serie «El escritor y la crítica»: **Pío Baroja.** (Edición de Javier Martínez Palacio.)
75. Agnes y Germán Gullón: **Teoría de la novela.**
76. Serie «El escritor y la crítica»: **César Vallejo.** (Edición de Julio Ortega.)
77. Serie «El escritor y la crítica»: **Vicente Huidobro.** (Edición de René de Costa.)
78. Serie «El escritor y la crítica»: **Jorge Guillén.** (Edición de Biruté Ciplijauskaité.)
79. Henry James: **El futuro de la novela.** (Edición, traducción, prólogo y notas de Roberto Yahni.)
80. F. Márquez Villanueva: **Personajes y temas del Quijote.**
81. Serie «El escritor y la crítica»: **El modernismo.** (Edición de Lily Litvak.)
82. Aurelio García Cantalapiedra: **Tiempo y vida de José Luis Hidalgo.**
83. Walter Benjamín: **Tentativas sobre Brecht (Iluminaciones, III).**
84. Mario Vargas Llosa: **La orgía perpetua (Flaubert y Madame Bovary).**
85. Serie «El escritor y la crítica»: **Rafael Alberti.** (Edición de Miguel Durán.)
86. Serie «El escritor y la crítica»: **Miguel Hernández.** (Edición de María de Gracia Ifach.)
87. Francisco Pérez Gutiérrez: **El problema religioso en la generación de 1868 (La leyenda de Dios).**
88. Serie «El escritor y la crítica»: **Jorge Luis Borges.** (Edición de Jaime Alazraki.)
89. Juan Benet: **En ciernes.**
90. Serie «El escritor y la crítica»: **Novelistas hispanoamericanos de hoy.** (Edición de Juan Loveluck.)
91. Germán Gullón: **El narrador en la novela del siglo XIX.**

92. Serie «El escritor y la crítica»: **Pedro Salinas.** (Edición de Andrew P. Debicki.)
93. Gordon Brotherston: **Manuel Machado.**
94. Juan I. Ferreras: **El triunfo del liberalismo y de la novela histórica (1830-1870).**
95. Fernando Lázaro Carreter: **Estudios de Poética (La obra en sí).**
96. Serie «El escritor y la crítica»: **Novelistas españoles de postguerra.** (Edición de Rodolfo Cardona.)
97. Serie «El escritor y la crítica»: **Vicente Aleixandre.** (Edición de José Luis Cano.)
98. Fernando Savater: **La infancia recuperada.**
99. Vladimir Nabokov: **Opiniones contundentes.**
100. Hans Mayer: **Historia maldita de la Literatura. (La mujer, el homosexual, el judío.)**
101. Etiemble: **Ensayos de Literatura (verdaderamente) general.**
102. Joaquín Marco: **Literatura popular en España en los siglos** XVIII y XIX (2 vols.).
103. Serie «El escritor y la crítica»: **Luis Cernuda.** (Edición de Derek Harris.)
104. Edward M. Forster: **Ensayos críticos.**
105. Serie «El escritor y la crítica»: **Leopoldo Alas, «Clarín».** (Edición de José María Martínez Cachero.)
106. Saul Yurkievich: **La confabulación con la palabra.**
107. Stephen Gilman: **La España de Fernando de Rojas.**
108. Serie «El escritor y la crítica»: **Francisco de Quevedo.** (Edición de Gonzalo Sobejano.)
109. Ricardo Gullón: **Psicologías del autor y lógicas del personaje.**
110. Serie «El escritor y la crítica»: **Mariano José de Larra.** (Edición de Rubén Benítez.)
111. **Historia de las literaturas hispánicas no castellanas,** planeada y coordinada por José María Díez Borque.
112. Robert L. Stevenson: **Virginibus puerisque y otros escritos.**
113. Serie «El escritor y la crítica»: **El Simbolismo.** (Edición de José Olivio Jiménez.)
114. Mircea Marghescou: **El concepto de literalidad.**
115. Theodore Ziolkowski: **Imágenes desencantadas (Una iconología literaria).**
116. **Historia de la Literatura española,** planeada y coordinada por José María Díez Borque. Tomo I: **Edad Media.**
117. Idem, tomo II: **Renacimiento y Barroco (siglos XVI y XVII).**
118. Idem, tomo III: **Siglos XVIII y XIX.**
119. Idem, tomo IV: **Siglo XX.**
120. Hans Hinterhäuser: **Fin de siglo (Figuras y mitos).**
121. Serie «El escritor y la crítica»: **Pablo Neruda.** (Edición de Emir Rodríguez Monegal y Enrico Mario Santí.)
122. Ricardo Gullón: **Técnicas de Galdós.**
123. Lily Litvak: **Transformación industrial y literatura en España (1895-1905).**
124. Antonio Márquez: **Literatura e Inquisición.**
125. Manuel Ballestero: **Poesía y reflexión (La palabra en el tiempo).**

126. Serie «El escritor y la crítica»: **Julio Cortázar.** (Edición de Pedro Lastra.)
127. Serie «El escritor y la crítica»: **Juan Ramón Jiménez.** (Edición de Aurora de Albornoz.)
128. Agnes Gullón: **La novela experimental de Miguel Delibes.**
129. Serie «El escritor y la crítica»: **Gabriel García Márquez.** (Edición de Peter G. Earle.)
130. Louis Vax: **Las obras maestras de la literatura fantástica.**
131. Serie «El escritor y la crítica»: **Mario Vargas Llosa.** (Edición de José Miguel Oviedo.)
132. Juan Benet: **La moviola de Eurípides.**
133. Serie «El escritor y la crítica»: **Octavio Paz** (Edición de Pere Gimferrer).
134. Juan I. Ferreras: **La estructura paródica del Quijote.**
135. Antonio Risco: **Literatura y fantasía.**